Pour Michèle Allard

avec toute mon amitié

OUVRAGES DES MÊMES AUTEURS

OUVRAGES DE PIERRE SALINGER PUBLIÉS EN FRANCE

Avec Kennedy, Buchet-Chastel, puis J'ai Lu.
République à vendre, Presses de la Cité.
Je suis un Américain, Stock.
La France et le Nouveau Monde, Robert Laffont, obtient le prix du Bicentenaire décerné par le Comité français pour le bicentenaire des États-Unis.
Otages – les Négociations secrètes de Téhéran, Buchet-Chastel

En collaboration avec Leonard Gross :
Le Scoop, Jean-Claude Lattès.
Le Nid du faucon, roman, Olivier Orban.

En collaboration avec Robert Cameron :
Au-dessus de Paris, Robert Laffont.

OUVRAGES D'ÉRIC LAURENT

Vodka Cola, en collaboration avec Charles Levinson, Stock.
La Puce et les Géants, préface de Fernand Braudel, Fayard.
La Corde pour les pendre, Fayard.
Karl Marx Avenue, roman, Olivier Orban.
Un Espion en exil, roman, Olivier Orban.

PIERRE SALINGER
ERIC LAURENT

GUERRE DU GOLFE

LE DOSSIER SECRET

OLIVIER ORBAN

ISBN 2.85565.626.5

CHAPITRE PREMIER

La guerre Iran-Irak s'acheva le 8 août 1988. Personne ne pressentit que cette date allait marquer aussi le début de la crise du Golfe.

On voyait dans l'Irak le vainqueur d'un conflit qui avait fait en huit ans près d'un million de morts, tout simplement parce que Téhéran, le premier, proposa un cessez-le-feu. En fait, Bagdad terminait cette guerre à la fois puissant et exsangue. Son appareil militaire était impressionnant, sans égal au Proche-Orient : 55 divisions, contre 10 divisions en 1980, un million d'hommes solidement encadrés et prêts à combattre, 500 avions et 5 500 chars (plus que n'en possèdent les États-Unis et l'Allemagne fédérale réunis). Le désastre financier était tout aussi démesuré. Au début de la guerre, l'Irak détenait 30 milliards de dollars de réserves. Huit ans plus tard, l'endettement du pays atteignait les 100 milliards de dollars. Saddam Hussein ne manquait jamais de confier à tous ses hôtes étrangers qu'il accueillait dans les salons imposants et froids du palais présidentiel, construit au cœur de Bagdad, qu'il avait été, durant ces huit années, un « véritable bouclier protégeant les frères arabes de la menace perse » et qu'il attendait des « plus riches d'entre eux, l'Arabie Saoudite, les Émirats arabes unis et le Koweït, qu'ils nous aident à rembourser toutes nos dettes ».

Le 9 août 1988, au lendemain même du cessez-le-feu, le Koweït prit la décision d'augmenter sa production pétrolière en violation des accords signés au sein de l'OPEP, notamment en extrayant davantage des puits de Roumaylah situés dans une zone frontalière revendiquée depuis toujours par l'Irak et qui faisait l'objet d'âpres controverses diplomatiques.

L'initiative koweïtienne fut ressentie par Saddam Hussein comme une provocation et une trahison. Elle aggravait la surproduction régnant sur le marché pétrolier et accentuait la baisse des cours. Avec cette mesure, les revenus de Bagdad, qui dépendaient à 90 % du pétrole, chutaient à 7 milliards de dollars par an, tandis que le service de sa dette se montait à 7 milliards de dollars. C'était une véritable asphyxie.

On ne pouvait imaginer deux pays plus dissemblables que l'Irak et l'émirat du Koweït : dans le premier, tous les pouvoirs étaient concentrés en un homme, dictateur implacable obsédé par ses rêves de puissance et le pouvoir de la force. Face à l'Irak, pays austère de dix-huit millions d'habitants, marqué par les privations, l'émirat était une minuscule enclave de richesse et d'abondance où les mille membres de la famille régnante, les Al Sabah, se répartissaient les postes, l'influence et les profits, tels les membres d'un conseil d'administration. Les investissements koweïtiens à l'étranger dépassaient la somme extraordinaire de 100 milliards de dollars et rapportaient chaque année à l'émirat plus de 6 milliards de dollars, soit davantage que les revenus du pétrole. Cette manne bénéficiait avant tout aux sept cent mille personnes possédant la citoyenneté koweïtienne, les un million deux cent mille travailleurs immigrés qui faisaient tourner l'économie du pays – Palestiniens, Philippins, Pakistanais, Égyptiens – ne recueillant que les miettes du festin.

L'argent rend souvent arrogant et aveugle. Pour n'avoir pas échappé à ce double travers, les dirigeants koweïtiens ont rendu presque inexorable le déroulement d'un drame, dont personne n'avait décelé les signes avant-coureurs, et qui est prêt désormais à basculer dans la guerre et la tragédie.

Le 12 février 1990, jour anniversaire de la naissance du Président Abraham Lincoln, John Kelly arriva à Bagdad en fin de matinée. C'était un homme de taille moyenne, proche de la cinquantaine, brun, à l'allure calme et aux gestes mesurés. Pour ce diplomate de carrière, qui n'avait occupé qu'un poste à l'étranger, comme ambassadeur au Liban, il s'agissait de sa première visite officielle en Irak en tant que sous-secrétaire d'État chargé du Moyen-Orient. Le temps était froid et l'ambassadeur américain à Bagdad, April Glaspie, l'attendait au pied de l'appareil en compagnie de deux officiels irakiens. April Glaspie, visage mince, traits aigus, apparence austère, était entrée dans la carrière diplomatique après avoir été diplômée de l'université John Hopkins. Elle parlait couramment l'arabe et avait occupé plusieurs postes, notamment à Tunis et Damas, avant de diriger le bureau chargé de suivre les affaires jordaniennes, libanaises et syriennes au Département d'État.

Elle vivait seule à Bagdad, avec sa mère et son chien, et depuis son arrivée elle n'avait jamais eu d'entretien en tête à tête avec Saddam Hussein.

Les rapports élaborés au sein du Département d'État américain sur le leader irakien exploraient trois axes : sa volonté et sa capacité à devenir le véritable maître du monde arabe; sa fascination pour le prestige et le rayonnement de l'ancien raïs égyptien, Gamal Abdel Nasser, auquel il aimait s'identifier; enfin son rapprochement avec l'Occident. Ce dernier point était considéré par John Kelly et les experts de son service comme déterminant. En 1980, lorsque les troupes irakiennes avaient attaqué l'Iran, le régime baassiste était catalogué comme un des plus sûrs alliés de Moscou dans la région. En 1978, après la signature des accords de Camp David entre Israël et l'Égypte, Bagdad avait même pris la tête d'un front du refus décidé à isoler et à punir Le Caire pour son rapprochement avec l'État hébreu. L'Irak abritait aussi à l'époque les groupes terroristes palestiniens les plus meurtriers, notamment celui d'Abou Nidal.

Huit ans plus tard, l'Irak émergeait de la guerre en n'ayant jamais été aussi proche de l'Ouest. Son économie était plus étroitement liée aux pays occidentaux qu'à l'Union soviétique, et son arsenal militaire se composait de matériels acquis autant dans les pays européens, notamment en France, qu'à Moscou. Tout ceci conduisait les Américains à miser sur l'Irak considéré comme un facteur de puissance et de stabilité dans la région.

John Kelly fut reçu par Saddam Hussein dans l'après-midi du 12 février. L'entrevue était la première avec un officiel américain, depuis longtemps. Le ministre, au cours d'échanges cordiaux, dit à son hôte : « Vous êtes une force de modération dans la région et les États-Unis souhaitent élargir leurs relations avec l'Irak. »

Saddam Hussein fut extrêmement flatté par ces propos, « fier » même, selon ses propres mots, et les rapporta, dans les heures qui suivirent l'entretien, à plusieurs chefs d'État arabes; le premier auquel il téléphona fut le roi Hussein de Jordanie.

John Kelly venait de formuler là le premier d'une série de messages ambigus et contradictoires, lourds de conséquences.

Trois jours après cet entretien, le 15 février, *La Voix de l'Amérique* diffusa dans ses émissions destinées au monde arabe un programme « reflétant – selon les mots du présentateur – les vues du gouvernement américain ». Il s'agissait d'un appel à l'opinion publique pour qu'elle se mobilise contre les dictateurs sévissant à travers le monde. L'Irak était mentionné en bonne place et Saddam Hussein dénoncé comme un des pires tyrans sévissant à travers la planète. Le chef de l'État irakien entra dans une violente colère et malgré les messages d'excuse que lui transmit Washington, par le canal de son ambassade, il ne put jamais admettre que *La Voix de l'Amérique* et les autorités officielles pouvaient exprimer des vues et des sensibilités différentes. Cet incident survenant juste après les louanges tressées par John Kelly lui apparut la preuve d'un double jeu américain. Et comme pour lui en donner confirmation, le 21 février, le Département d'État publia un rapport sur les droits de l'homme, dont douze pages étaient consacrées à l'Irak. Le gouvernement de Saddam Hussein était qualifié du « pire en matière de violation des droits de l'homme ». On évoquait aussi l'usage fréquent de la torture et les nombreuses exécutions sommaires. Juste après cette publication, le comité des affaires étrangères de la Chambre des représentants voulut faire adopter une résolution condamnant « l'Irak pour ses grossières violations des droits de l'homme ». L'administration Bush protesta vigoureusement contre cette initiative et s'opposa à son adoption.

Toutes ces interventions en ligne brisée, se contredisant les unes les autres, révélaient les flottements au sein de la direction américaine. L'Irak et le Moyen-Orient n'étaient pas alors des priorités. Toute l'attention et l'énergie du Président Bush et de ses plus proches collaborateurs – notamment le secrétaire d'État James Baker – se concentraient sur le dialogue américano-soviétique et la formidable explosion démocratique en Europe de l'Est.

Le 23 février 1990 Saddam Hussein arriva à Ammān. Jusqu'au dernier moment le plan de vol de son avion et l'heure d'arrivée restèrent secrets; par crainte d'un attentat, le président irakien voyageait dans un jet dépourvu de toute immatriculation. L'appareil qu'il utilisait d'ordinaire pour ses déplacements officiels s'était posé quelques heures plus tôt, avec à son bord ses collaborateurs et des gardes du corps. Accueilli sur le tarmac par le roi Hussein, le chef de l'État irakien paraissait préoccupé et tendu. Il venait participer aux cérémonies marquant le premier anniversaire de la création du Conseil de coopération arabe, un club régional auquel le souverain jordanien portait une grande attention mais qui ne présentait qu'un intérêt marginal aux yeux de Saddam Hussein. En fait cette manifestation n'éveillait qu'une attention limitée dans l'opinion arabe et parmi les quelques journalistes occidentaux présents à

Ammān. Personne ne pouvait soupçonner ce qui allait se dire et surtout s'échanger dans les coulisses. Saddam Hussein, face à quelques-uns de ses pairs, tint des propos très violents. Il prédit que l'affaiblissement de Moscou allait offrir aux États-Unis, au cours des cinq prochaines années, une liberté de manœuvre sans précédent au Moyen-Orient. « N'est-ce pas Washington, dit-il, qui aide l'émigration des juifs soviétiques vers Israël ? N'est-ce pas l'Amérique qui continue de faire patrouiller ses navires dans le Golfe, malgré la fin du conflit entre l'Iran et l'Irak ? » Pour Saddam Hussein, dont l'intervention était retransmise à la télévision jordanienne, les raisons de ce comportement étaient claires : « Le pays qui exercera la plus grande influence sur la région, le Golfe et son pétrole, consolidera sa supériorité en tant que superpuissance sans que quiconque puisse rivaliser avec lui. Ceci démontre que si la population du Golfe – et au-delà tout le monde arabe – n'est pas vigilante, cette zone sera gouvernée selon les vues des États-Unis. Par exemple, les prix du pétrole seront fixés de manière à bénéficier aux intérêts américains, tout en ignorant les intérêts des autres. »

Le message transmis par Saddam à ses pairs était évident : l'intérêt du monde arabe est que l'Irak, et non les États-Unis, domine le Golfe.

Cette déclaration suscita la colère du président égyptien Hosni Moubarak, principal allié de l'Amérique. Le Caire recevait chaque année plus de 2 milliards de dollars d'aide de Washington. Or Saddam Hussein avait aussi suggéré dans ses propos que l'argent du pétrole investi à l'Ouest soit retiré afin d'infléchir la politique américaine. « Il n'y a pas de place, ajoutait-il, aux côtés des bons Arabes, pour les lâches et les timorés qui prétendent qu'une superpuissance, les États-Unis, est le facteur décisif et que les autres n'ont pas d'autre choix que de se soumettre. » Moubarak prit ces mots pour une attaque personnelle, quitta la séance, furieux, suivi de sa délégation. Rejoint par le roi Hussein, inquiet, il lui dit :

– De tels propos sont intolérables. Je rentre en Égypte.

Le souverain jordanien se fit apaisant, proposa une rencontre avec le président irakien pour dissiper les malentendus. Moubarak refusa énergiquement puis finit par se laisser fléchir. Les trois hommes se retrouvèrent le 24 au soir au palais Hachemiel, là où vivait Hussein avant que son ancienne femme, la reine Alia, ne se tue dans un accident d'hélicoptère. L'atmosphère était tendue et Saddam Hussein, loin de se montrer conciliant, avança des exigences plus précises. Il parlait d'un ton sec, tout en fixant ses deux interlocuteurs. Il évoqua les 30 milliards de dollars de prêts qui lui avaient été avancés par le Koweït et l'Arabie Saoudite, au cours de la guerre contre l'Iran.

– S'ils n'annulent pas cette dette et s'ils ne me donnent pas 30 autres milliards de dollars, je prendrai des mesures de représailles.

Au comble de l'exaspération, Moubarak abrégea la réunion après avoir apostrophé Saddam : « Tes exigences sont incohérentes. Tu vas provoquer un drame. » Il rentra dans la nuit au Caire et le roi Hussein fut contraint d'annuler les débats de la seconde journée du Conseil de coopération.

L'éclat provoqué par Saddam Hussein et l'ampleur de ses revendications suscitèrent une profonde inquiétude dans le monde arabe, notamment au Koweït et en Arabie Saoudite. Dans ces deux pays, les dirigeants redoutaient que Bagdad ne se serve de ses missiles pour lancer une attaque surprise contre eux, suivie d'une invasion, ou encore un certain nombre d'actions terroristes dont les membres des deux familles régnantes auraient été les cibles.

A Riyād, les responsables saoudiens alertèrent rapidement l'antenne locale de la CIA sur les menaces qu'ils encouraient. L'information fut transmise au quartier général de Langley, près de Washington, mais ne suscita aucune réaction des autorités politiques. L'agence de renseignement décida cependant de placer l'Irak « sous surveillance » et d'intensifier la collecte d'informations sur ce pays. Le principal obstacle était la difficulté d'accéder à des sources fiables. Le contrôle de tous les rouages du pouvoir, à Bagdad, était entre les mains de Saddam Hussein et des membres de sa famille qui s'appuyaient sur une police secrète omniprésente et efficace. William Casey, l'ancien directeur de la

CIA sous Reagan, en avait fait le constat amer et la situation n'avait pas changé depuis : l'agence ne possédait aucun agent d'envergure en Irak.

Les principales capitales arabes avaient, dans le même temps, pris connaissance d'un rapport confidentiel sur l'état de l'économie irakienne, qui venait d'être rédigé par un des banquiers les plus influents du Moyen-Orient. Son analyse rappelait d'abord qu'entre 1972 et 1980, année où débuta la guerre contre l'Iran, les revenus pétroliers annuels de l'Irak étaient passés de 1 milliard de dollars à 25 milliards de dollars. Mais en ce début d'année 1990, le banquier se montrait extrêmement pessimiste sur l'avenir de ce pays, mêlant dans son analyse les formules imagées et la rigueur des faits : « Le brillant arc-en-ciel des années soixante-dix contraste avec les sombres et mornes réalités actuelles de l'économie, l'énormité des destructions à travers le pays et l'érosion de tout espoir pour les générations à venir. Cet état de fait désolant peut-il être écarté, peut-il être changé? C'est ma triste tâche que de démontrer que la situation, sous le gouvernement actuel, peut seulement empirer. » Il insistait aussi sur le fait que l'énorme dette accumulée, dont Bagdad ne pouvait même pas payer les intérêts, « allait conduire à une politique téméraire, dangereuse, d'emprunts à des taux effectifs excédant 30 % l'an ». Il mettait aussi en lumière un fait étonnant : en 1989, l'Irak avait été le plus important utilisateur au monde du « Credit Commodity Program » américain, qui servait à vendre les produits agricoles des États-Unis à l'étranger.

Le dernier paragraphe de son rapport était le plus intéressant : il présentait avec une remarquable lucidité ce qui allait arriver : « Saddam Hussein est maintenant tout à fait au courant de sa situation financière. Quelles sont les options qui s'offrent à lui en Irak même ? Elles sont peu nombreuses. Mais il y a toujours le Koweït, situé juste à quelques kilomètres de son armée oisive, massée sur le Chatt al-Arab. L'Irak a besoin d'un accès aux eaux ouvertes du Golfe. »

Des indices révélaient les difficultés croissantes de Bagdad. Plusieurs projets ambitieux avaient été interrompus, dont le percement d'un métro dans la capitale, la construction de trois mille deux cents kilomètres de voie ferrée et l'édification de deux gigantesques barrages hydro-électriques.

Une autre personnalité observait avec angoisse la désunion croissante de « cette famille arabe » qu'elle ne cessait pourtant d'évoquer dans ses discours ou au cours de confidences livrées à quelques interlocuteurs en lesquels elle avait toute confiance. Il s'agissait du roi Hussein. En trente-sept ans d'un règne étonnant, marqué à la fois par la conscience de sa fragilité et un instinct de survie sans égal, il ressentait mieux que quiconque les signes avant-coureurs des drames. Il savait qu'un nouveau séisme politique dans la région pouvait compromettre jusqu'à l'existence de la Jordanie qui, avec ses trois millions d'habitants – dont 60 % de Palestiniens – et son absence totale de ressources, pouvait être balayée.

« Je sens monter une tension semblable à celle qui existait avant la guerre de 1967. Depuis près de quarante ans que je suis au pouvoir, jamais je n'ai vu cette région arriver à une croisée des chemins aussi dangereuse. » Il s'exprimait avec gravité, d'un ton dépassionné, assis à côté de son visiteur, une photographie de Saddam Hussein accrochée au mur juste derrière son épaule.

Le président irakien était pour lui à la fois un allié et un souci. Un partenaire à la puissance incontournable pour la fragile Jordanie, mais aussi un dirigeant dont les ambitions affichées pouvaient déstabiliser le précaire équilibre prévalant encore. Après l'échec de la réunion d'Ammān, le 24 février, le roi Hussein avait proposé au président irakien de se rendre dans les États du Golfe pour tenter de trouver un accord entre le Koweït, l'Arabie Saoudite et l'Irak. Il s'envola le 26 février, et pendant trois jours il circula entre les différentes capitales de la région, ayant des discussions approfondies avec tous les dirigeants. Il regagna Ammān, épuisé, dans la nuit du 1er mars. Le 3 mars au matin, Saddam Hussein lui téléphona :

– J'envoie un avion. Je vous attends à Bagdad.

Les deux hommes se rencontrèrent pendant plus de quatre heures et le roi Hussein fit un compte rendu détaillé de son voyage.

Une évidence dominait : les négociations paraissaient impossibles. Le souverain jordanien n'avait obtenu aucun signal positif des leaders du Golfe. Saddam Hussein avait trois objectifs : régler les différends frontaliers avec le Koweït, notamment le problème des champs pétrolifères extrêmement riches de Roumaylah situés dans cette zone contestée. Il voulait aussi louer à l'émirat deux îles, Warba et Būbīyān, qui lui auraient fourni un accès au Golfe, un élément considéré comme vital pour l'Irak. Il cherchait enfin à régler le problème de la dette accumulée durant la guerre avec l'Iran.

Le roi Hussein lui précisa que l'émir du Koweït se refusait d'engager toute négociation tant que l'Irak n'aurait pas officiellement reconnu la souveraineté koweïtienne. En 1963, le gouvernement de Bagdad avait reconnu l'indépendance du Koweït, mais peu après le Conseil militaire révolutionnaire, qui contrôlait effectivement le pays, avait annulé cette décision.

Saddam Hussein, calé dans un large fauteuil, les yeux mi-clos, allumant de temps en temps une cigarette, écouta attentivement les propos du souverain hāchémite. Il ne manifesta aucune colère, comme s'il avait déjà prévu et anticipé ces fins de non-recevoir. Il remercia longuement son hôte pour son effort de médiation et lui dit qu'il espérait « qu'avec le temps, la lucidité et la bonne volonté triompheraient enfin dans cette affaire ». Il s'agissait là de propos feutrés et conciliants, insolites chez un homme qui avait habitué ses collègues à de redoutables emportements. En décembre 1989, irrité par le peu de progrès dans les négociations entre l'Irak et le Koweït, et l'attitude de l'Arabie Saoudite qui semblait appuyer de manière voilée la position de l'émirat, il aurait téléphoné en pleine nuit au souverain saoudien, dans son palais de Djeddah. Le roi Fahd avait entendu Saddam Hussein lui hurler dans l'oreille : « Vous n'êtes qu'un maquereau et un fils de maquereau », avant de raccrocher brutalement. Hosni Moubarak, qui ne cachait pas la profonde antipathie qu'il éprouvait pour l'Irakien, résumait le sentiment de plusieurs chefs d'État arabes quand il le qualifiait de « véritable psychopathe ».

Le roi rentré à Ammān, il ne fallut que trois jours à Saddam Hussein pour prendre la décision de convoquer tous les membres de son état-major. La réunion fut tenue secrète et le président irakien demanda aux responsables militaires qui l'entouraient d'élaborer rapidement un plan pour masser des troupes sur la frontière avec le Koweït.

Aucun bruit de bottes ne s'était encore fait entendre et pourtant la tension montait rapidement. Les Koweïtiens manifestèrent durant cette période une clairvoyance qui leur fit tragiquement défaut quelques mois plus tard. Deux semaines après l'ordre donné à l'état-major irakien d'envisager le déploiement de troupes sur la zone frontalière, un responsable koweïtien de haut rang fit escale à Ammān. Aucune division irakienne n'avait encore fait mouvement, et pourtant cet officiel confia à ses interlocuteurs jordaniens : « Saddam Hussein ne veut pas seulement les deux îles qu'il revendique et qui lui fourniraient un accès au Golfe; il veut tout le Koweït ! »

CHAPITRE II

Pendant plus d'un siècle, Londres avait considéré le Golfe comme un véritable territoire britannique qui permettait de contrôler le passage vers l'Inde et l'Extrême-Orient. La détermination manifestée par Londres de ne laisser aucune autre influence s'exercer sur cette région jointe à l'habileté manœuvrière de sa diplomatie contribuèrent à créer les germes du conflit actuel.

Jusqu'à la Première Guerre mondiale, l'Irak et le Koweït faisaient partie de l'Empire ottoman. En fait, le Koweït et sa minuscule superficie de 18 000 kilomètres carrés étaient rattachés au vilayat (le district administratif) irakien de Bassora. En 1913, les rumeurs de guerre s'amplifiant en Europe, les Anglais et les Turcs signèrent un accord faisant du Koweït un district autonome. En pleine guerre, alors que les Ottomans se battaient aux côtés des Allemands, Londres reconnut l'émirat et ses frontières comme totalement indépendants de l'Empire turc.

Cette ligne de partage, qui offrait aux Britanniques un allié et un appui stratégiques, ne fut jamais acceptée par l'Irak, frustré de se voir interdire l'accès au Golfe et d'être dépossédé d'une région qui, à ses yeux, n'avait jamais eu d'existence indépendante.

L'Irak, placé sous mandat britannique en 1918, nourrissait un autre motif de rancœur. En 1925, le gouvernement de Bagdad dut signer un traité avec le gigantesque consortium pétrolier Iraq Petroleum Company : l'accord stipulait notamment que la compagnie devait rester britannique, que son président serait un sujet britannique et que la concession accordée courrait jusqu'en l'an 2000. L'IPC avait les mains libres pour exploiter à son gré, avec des profits colossaux, le plus fabuleux gisement de toute l'histoire du pétrole.

En fait, dans cette région aux frontières imprécises, l'Irak était un État aussi artificiel que le Koweït. A la suite des accords Sykes-Picot de 1916, qui détaillaient le partage des dépouilles de l'Empire ottoman entre la France et l'Angleterre, l'Irak fut constitué à partir de trois anciennes provinces turques : Bagdad, Bassora et Mossoul.

Une formule résumait magistralement cet état de fait : « L'Irak est une folie de Churchill qui avait voulu réunir deux puits de pétrole que tout séparait, Kirkouk et Mossoul, en unissant trois peuples que tout séparait : les Kurdes, les sunnites et les chiites. »

Probablement parce que né d'une construction instable et précaire, l'Irak moderne n'a cessé d'être traversé et dominé par la violence. En 1958, la monarchie pro-occidentale est renversée, le roi Fayçal abattu, son Premier ministre Noury Saïd lapidé par la foule; le nouveau chef du pays, le général Kassem, échappe un an plus tard à un attentat. L'un des membres du commando est un jeune homme de vingt-deux ans, du nom de Saddam Hussein qui, bien que blessé, réussira à s'enfuir et à gagner la Syrie voisine.

En 1963, une foule vociférante promène la tête de Kassem au bout d'une pique. En 1968, le parti Baas accède au pouvoir. C'est le triomphe de Saddam Hussein. Il n'a alors que le titre de vice-président du Conseil de la révolution mais il est déjà l'homme fort du pays. Les services de sécurité sont et resteront contrôlés par ses trois demi-frères, Barzan, Sabawi et Wathban; son cousin Hussein Kamal El-Majid se chargera du véritable génocide pratiqué sur les Kurdes, avec notamment l'utilisation d'armes chimiques contre des populations civiles. Cet homme est aussi le personnage clé pour tous les achats de matériel militaire, prélevant sur chaque contrat de substantielles commissions. En 1987, pour l'achat de cent vingt fusées Scud, de fabrication chinoise, il aurait empoché 60 millions de dollars.

Ce petit groupe au pouvoir à Bagdad est uni par les liens du sang... surtout celui des autres. Uday, le fils aîné de Saddam, fera battre à mort, devant des invités, un des gardes du corps de son père. Celui-ci, furieux, menace de tuer son fils. Sa première femme Sajida demandera à son frère, Adnan Khayrallah, qui est aussi le ministre de la Défense, d'intercéder en faveur d'Uday auprès de Saddam. L'homme fort de l'Irak épargnera son fils mais ne pardonnera pas à son ministre qui est pourtant son beau-frère et son cousin. Il donnera l'ordre de le faire exécuter et sa mort sera maquillée en accident d'hélicoptère. La violence est l'arme maîtresse de Saddam Hussein. Quand il accède au pouvoir suprême en 1979, il célèbre l'événement en faisant exécuter vingt et un membres de son cabinet, dont un de ses plus proches compagnons, pour lequel il aura cette épitaphe : « Il était très proche de moi, mais il s'est trop éloigné. »

Un an plus tard, il convoque à la prison centrale de Bagdad plusieurs de ses ministres et collaborateurs, pour qu'ils servent de peloton d'exécution. Les suppliciés sont des prisonniers politiques. Il offre ainsi un avant-goût de ce qui pourrait arriver à celui ou à ceux qui seraient tentés de s'opposer à sa volonté. Avec un cynisme consommé, il dira, en évoquant cet épisode : « Les plus loyaux sont ceux qui sont devenus coupables. »

Lui qui n'a jamais été un militaire est à la fois fasciné et méfiant devant son armée. Il la veut puissante et docile. Il a beau apparaître souvent vêtu d'un uniforme de général, il conserve un complexe d'infériorité envers des officiers supérieurs qui le considèrent, pour la plupart, comme un parvenu. Alors il purge, massivement. Durant la guerre Iran-Irak, des rumeurs laissaient entendre que de nombreux militaires de haut rang avaient été passés par les armes. Il rectifie : « C'est faux. Seuls deux commandants de division et le chef d'une unité mécanisée ont été exécutés. C'est quelque chose de tout à fait normal dans une guerre. »

Pourtant, au cours d'une réunion d'état-major, un officier s'élève contre les plans arrêtés par Saddam Hussein pour le lancement d'une offensive. Le chef de l'État l'écoute formuler ses critiques puis, sans un mot, dégaine le revolver qu'il porte toujours à la ceinture et lui loge une balle dans la tête.

En 1988, juste après l'arrêt des combats, des centaines d'officiers sont envoyés en prison et nombre d'entre eux seront tués peu après. Un des héros de la guerre, le général Maher Abdul Rashid, dont la fille avait été mariée à un des fils de Saddam, disparaîtra ainsi à jamais.

Un rapport sur les droits de l'homme, publié en 1990, affirmait : « L'Irak, sous la domination du parti Baas, est devenu une nation d'informateurs. » Définition à la fois triste et juste : on peut évaluer à près de 25 % de la population, soit un Irakien sur quatre, les personnes travaillant pour les divers organes de sécurité, qui ont été formés et longtemps encadrés par des experts de la police est-allemande, la STASI.

Saddam Hussein, en privé, aime se faire régulièrement projeter son film préféré... *Le Parrain*. Il lui plaît aussi de se comparer à Nabuchodonosor, le roi de Babylone de 605 à 562 avant J.-C. Probablement parce que cet ancêtre politique, qui croyait comme lui au pouvoir de la force, s'empara de Jérusalem, détruisit le temple et captura le peuple hébreu.

Napoléon confiait : « Je dresse les plans de mes batailles à partir des rêves de mes soldats endormis. » Saddam Hussein, lui, dresse ses plans guerriers et assouvit ses rêves de grandeur grâce à la bienveillance et à la complicité des démocraties occidentales. En 1984, l'Irak dépensa 14 milliards de dollars en achat d'armes, soit la moitié de son produit national brut. Entre 1982 et 1985, ce pays avait importé pour 42,8 milliards de dollars d'armement, et ces acquisitions n'ont pas diminué depuis le cessez-le-feu avec l'Iran. Au cours des cinq dernières années, Bagdad a été le plus gros importateur mondial de matériel militaire, se portant acquéreur de près de 10 % de toutes les armes vendues à travers le monde.

Cet allié de Moscou, avec qui fut signé en 1972 un « traité d'amitié et de coopération », s'est amarré de plus en plus étroitement, au fil des ans, aux pays occidentaux, seuls capables de répondre à ses besoins essentiels. Veut-il développer une industrie nucléaire ? Les Français lui fourniront au milieu des années soixante-dix la centrale qu'il réclame, tout en fermant les yeux sur les risques de prolifération et de fabrication de plutonium. Saddam Hussein veut l'arme atomique et ne le cache pas. Son rêve sera provisoirement brisé en 1981 quand des avions israéliens détruiront le centre nucléaire irakien d'Osirak.

Il possède déjà un arsenal important d'armes chimiques, qu'il a utilisé contre les vagues d'assaut iraniennes et les villages rebelles kurdes. Là encore, l'aide occidentale a été déterminante. Nous avons recensé deux cent huit compagnies qui ont coopéré à des degrés divers aux programmes militaires irakiens, et notamment à la constitution de cette industrie chimique. La liste se décompose ainsi [1] : 86 entreprises ouest-allemandes ; 18 firmes américaines ; 18 firmes anglaises ; 16 sociétés françaises ; 12 italiennes ; 11 suisses ; 17 autrichiennes ; 8 belges ; 4 espagnoles, le reste se répartissant entre l'Argentine (3), le Japon (1), le Brésil (1), l'Égypte (1), la Suède (1), la Hollande (2), la Pologne (1), l'Inde (1), Monaco (2), Jersey (1). Bien que le gouvernement des États-Unis ait toujours nié lui fournir des armes, de nombreuses firmes privées américaines vendaient du matériel militaire, transféré à Bagdad à travers des sociétés-écrans ou des compagnies servant d'intermédiaire à l'Irak.

1. Cf. annexe.

L'opération menée le 28 mars 1990 à l'aéroport londonien d'Heathrow révéla l'ampleur de ces trafics. Ce jour-là les services britanniques des douanes saisirent des « Krytrons » électriques à usage militaire. Ces pièces pouvaient servir d'éléments de détonateur pour l'explosion d'armes nucléaires. Le coup de filet était le résultat de dix-huit mois d'enquêtes et de filatures menées conjointement par les services de renseignement anglais et la douane américaine. Les pièces incriminées étaient fabriquées par une firme de San Diego, en Californie, qui avait été approchée par des intermédiaires travaillant pour l'Irak. Les dirigeants de la société, intrigués par cette démarche, alertèrent le service des douanes, qui infiltra un de ses hommes dans le groupe participant à toutes les négociations sur l'achat et le transfert des « Krytrons ». Le matériel fut expédié à Londres sur un vol cargo de la TWA et resta stocké dans la zone de transit pendant deux semaines. Les agents des douanes intervinrent au moment où le chargement allait être placé dans les soutes d'un avion des Iraqi Airways prêt à décoller pour Bagdad. Cinq personnes travaillant pour cette compagnie furent arrêtées. Deux étaient irakiennes, une était libanaise et les deux dernières britanniques.

A San Diego, un autre coup de filet permit l'arrestation de Britanniques travaillant pour des filiales de sociétés anglaises. Les pièces saisies provoquèrent la perplexité des autorités. De nombreux rapports circulaient, depuis un à deux ans, sur les efforts accomplis par Bagdad pour être en mesure de construire des armes nucléaires. La saisie de ces « Krytrons » justifiait l'inquiétude de nombreux experts : le moment où l'Irak détiendrait une bombe atomique était-il plus proche qu'on ne l'avait envisagé ?

Saddam Hussein réagit en évoquant dans un discours les « forces antiarabes qui cherchent à stopper la marche de l'Irak vers le progrès ». Le maître de Bagdad se trouvait alors dans une position délicate.

En septembre 1989, une terrible explosion avait ravagé le complexe militaire d'El-Alekssandria, situé au sud de la capitale, où l'on fabriquait des armes chimiques. Malgré le black-out total imposé par le régime, des témoignages et les photos prises par des satellites espions révélèrent l'ampleur du désastre : plus de sept cents personnes avaient péri et des centaines d'autres restaient handicapées à vie. En février 1990, un journaliste collaborant à l'hebdomadaire londonien l'*Observer* tenta d'enquêter sur cette catastrophe. Il se nommait Farzad Bazoft ; d'origine iranienne, apatride, il disposait d'un passeport du Royaume-Uni. Il fut arrêté par les services de sécurité irakiens, les redoutables Mukhabarat, dirigés par Sabawi, le demi-frère de Saddam Hussein. Accusé d'espionnage au profit d'Israël, il fit à la télévision des aveux publics manifestement extorqués.

Sa condamnation à mort suscita une forte émotion, non seulement en Europe et aux États-Unis, mais aussi chez certains responsables arabes. Quelques jours après la sentence, le ministre jordanien des Affaires étrangères, Marwan Al Qasim, retrouva à Tunis son homologue irakien, Tarek Aziz. Ils participaient à une réunion des chefs des diplomaties arabes. Profitant d'un moment en tête à tête, Qasim dit à Aziz : « Ce serait une terrible erreur de la part de ton gouvernement de tuer Bazoft. La presse va s'emparer de l'affaire, et l'image de l'Irak, à l'Ouest, va devenir très négative. » Al Qasim fut surpris par la violence de la réaction de Tarek Aziz, qu'il connaissait pourtant depuis de longues années. Le ministre irakien lui répondit, d'un ton courroucé et tranchant : « Il faut que nous l'exécutions. Si nous ne le faisons pas, il y aura mille espions en Irak la semaine prochaine. »

Farzad Bazoft fut pendu le 15 mars et l'ampleur de la réprobation troubla Saddam Hussein. Il ne pouvait comprendre les critiques formulées par des pays occidentaux jusqu'ici si tolérants envers lui. L'affaire Bazoft, la saisie du matériel à l'aéroport d'Heathrow et les volte-face américaines achevèrent de le convaincre qu'il existait une véritable campagne internationale montée contre son pays.

En homme primaire et intelligent, mais aussi orgueilleux et mégalomane, il allait désormais percevoir l'Irak comme une citadelle assiégée, capable de défier le monde qui l'avait rendu si puissant.

CHAPITRE III

Le 2 avril, Saddam Hussein prononça devant les cadres de son armée un discours qui fut retransmis intégralement à la radio. Vêtu d'un uniforme kaki, tête nue, arborant les insignes de général, il parla pendant plus d'une heure mais quelques-unes des phrases prononcées frappèrent de stupeur le monde entier. Évoquant les résultats obtenus par des chercheurs irakiens qui venaient de mettre au point de nouvelles armes chimiques, il ajouta : « Par Dieu, si Israël tente quoi que ce soit contre l'Irak, nous ferons en sorte que le feu ravage la moitié de ce pays... Ceux qui nous menacent par la bombe atomique, nous les exterminerons par l'arme chimique. »

Ces propos parvinrent, le jour même, sur le bureau de John Kelly. Le sous-secrétaire d'État chargé des affaires du Moyen-Orient lut et relut les dépêches qu'il avait sous les yeux, stupéfait par la violence du ton. L'homme qui avait prodigué, près de deux mois auparavant, des propos apaisants au leader irakien se rendit immédiatement chez Dennis Ross, installé quelques étages plus haut dans le bâtiment du Département d'État. Ross dirigeait le bureau de planification politique mais était surtout un des plus proches collaborateurs du secrétaire d'État James Baker. Kelly était partisan d'une réaction immédiate et précise destinée à souligner le refus américain de tolérer de telles menaces. John Kelly devenait dans l'affaire irakienne un véritable docteur Jekyll se métamorphosant en Mr Hyde, dans sa façon d'alterner positions conciliantes et attitudes dures.

Dennis Ross et lui travaillèrent rapidement sur un premier plan de sanctions puis gagnèrent le bureau de James Baker, situé au septième étage. Ils n'attendirent que quelques instants dans le secrétariat, pièce aux murs recouverts d'une boiserie sombre. Le secrétaire d'État écouta leurs arguments attentivement. « Il faut, dirent-ils, envoyer un signal sans ambiguïté, en adoptant notamment un certain nombre de mesures de rétorsions économiques. » Baker, très troublé lui aussi par l'agressivité de Saddam Hussein, approuva cette suggestion et les propositions qui lui furent avancées. Elles étaient essentiellement au nombre de trois : Refus d'octroyer des crédits bon marché de l'Export-Import Bank à l'Irak; annulation du Credit Commodity Program, un ensemble de mécanismes permettant de financer les achats par Bagdad de blé américain ; enfin adoption de mesures pour interdire l'importation par le régime de Saddam Hussein de « matériel à usage potentiellement militaire ».

Tandis que des experts travaillaient à affiner ce plan, George Bush livra son sentiment sur les menaces proférées par Saddam Hussein. Il le fit à bord du Boeing présidentiel Air Force One qui l'emmenait à Atlanta et Indianapolis. Il utilisa des mots vagues qui reflétaient sa perplexité et révélaient que le dossier irakien ne faisait visiblement pas partie de ses priorités. « Je trouve que ces déclarations sont très mauvaises. Je demande sans attendre, et fermement, à l'Irak de rejeter l'usage des armes chimiques. Je pense que cela n'aidera ni le Moyen-Orient, ni les intérêts de l'Irak en matière de sécurité ; je dirais même que cela produira l'effet contraire. Je suggère que de tels propos, sur l'usage des armes chimiques et biologiques, soient oubliés. »

Le 9 avril, John Kelly et Dennis Ross se retrouvèrent dans le bureau de James Baker. Ils furent rejoints par Robert Kimmitt, le sous-secrétaire d'État pour les affaires politiques, qui appartenait lui aussi au cercle étroit des très proches collaborateurs du ministre.

Baker avait reçu l'aval de Bush, et le plan de sanctions économiques, après avoir été une nouvelle fois examiné en détail, fut approuvé. C'est à Robert Kimmitt qu'échut la redoutable tâche de négocier avec les différents ministères et agences concernés pour faire appliquer le projet. Pourtant, la détermination qui marquait cette réunion s'évapora rapidement et le plan de sanctions devait rester lettre morte. Cet échec découla des résistances de la bureaucratie fédérale américaine et de l'absence de suivi politique.

Le ministère du Commerce formula immédiatement des réserves face à la suspension des crédits de l'Export-Import Bank, avançant qu'une telle mesure pénaliserait les hommes d'affaires américains. Les responsables du même ministère s'opposaient aussi à la suppression du Credit Commodity Program qui défavoriserait, selon eux, les producteurs céréaliers américains.

Le Conseil national de sécurité, l'organe chargé, au sein de la Maison-Blanche, de suivre les questions de politique étrangère, soutenait l'idée de sanctions, mais s'opposait à leur mise en application trop rapide. Robert Gates, numéro 2 du Conseil et ancien directeur-adjoint de la CIA, défendait cette approche graduée. Robert Kimmitt présida peu après une réunion, qui se déroula dans la « Situation Room », une des salles de conférence de la Maison-Blanche. Ses interlocuteurs étaient les responsables-adjoints des principales agences gouvernementales. Il régna tout au long de la rencontre une unanimité de façade, qui ne trompait plus personne. Le plan prévoyant des sanctions contre l'Irak était totalement démembré, disloqué.

Le seul homme qui aurait été en mesure de vaincre les réticences et d'imposer ses vues était James Baker. Or le secrétaire d'État voyait son temps et ses pensées totalement absorbés par le projet d'unification allemande et de fréquents voyages pour rencontrer son homologue soviétique Édouard Chevardnadze afin de préparer le sommet Bush-Gorbatchev qui devait se tenir au mois de mai à Malte. Comme le confiait un des proches collaborateurs de Baker : « Le missile irakien n'avait pas encore été repéré par les radars de Washington. »

Saddam Hussein ne reçut donc aucun avertissement officiel, mais il recueillit dans le même temps un certain nombre d'encouragements qui contribuèrent à brouiller et à rendre encore plus ambiguë la position américaine.

Le 12 avril, soit dix jours après la violente diatribe prononcée par le président irakien, un groupe de cinq sénateurs américains arriva en visite officielle à Bagdad. La délégation était présidée par le sénateur du Kansas Robert Dole, adversaire malheureux de George Bush aux dernières primaires pour la course à la présidence et actuel leader de la minorité républicaine au Sénat.

Saddam Hussein avait donc face à lui un

interlocuteur qu'il considérait comme important, influent, et surtout proche des vues présidentielles.

La réunion se déroula à Mossoul, une ville au nord du pays, proche de la frontière syrienne. Saddam Hussein, vêtu d'un élégant costume gris et d'une cravate sombre, était assis dans un petit salon, sur un canapé recouvert de velours vert. Une table basse en verre était placée devant lui, au milieu de la pièce, et ses hôtes étaient installés dans des fauteuils, tout autour. L'un d'eux commença par lire un texte où ils affirmaient être venus « parce que nous croyons que l'Irak joue un rôle essentiel au Moyen-Orient ». Il précisait aussi à l'attention du chef d'État irakien « notre conviction que votre volonté de vous doter d'armes chimiques et biologiques expose votre pays à de sérieux dangers au lieu de renforcer sa sécurité. De telles initiatives menacent aussi d'autres pays et causeront de sérieux troubles à travers le Moyen-Orient. Vos récentes déclarations, dans lesquelles vous menacez d'utiliser des armes chimiques contre Israël, ont provoqué un grand émoi à travers le monde et il serait bon pour vous et pour la paix au Moyen-Orient que vous reveniez rapidement sur des programmes aussi dangereux et sur des déclarations et des actions provocantes ».

Le texte achevé, Saddam hocha la tête. Il était resté totalement impassible tout au long de la lecture. Il se tourna vers Dole, assis à sa droite, et lui dit sans agressivité :

– J'ai conscience d'une vaste campagne lancée contre nous par les États-Unis et l'Europe.

Dole, la soixantaine sombre et sévère, lui répondit immédiatement :

– En tout cas une telle campagne ne vient pas du Président Bush. Il nous disait, hier encore, qu'il ne la soutenait pas.

Robert Dole rappela ensuite que les États-Unis avaient condamné Israël en 1981, après l'attaque de la centrale nucléaire irakienne. Saddam Hussein l'interrompit :

– Oui, vous l'avez condamné, mais de nombreux rapports montrent que les États-Unis étaient au courant, bien à l'avance, de cette opération.

Le sénateur républicain du Wyoming, Alan Simpson, prit à son tour la parole :

– Il n'y a pas de problème entre vous et le gouvernement ou le peuple américain. Votre seul problème est avec notre presse, arrogante et exigeante.

Robert Dole enchaîna en revenant sur le programme diffusé en février par *La Voix de l'Amérique*, et qui attaquait le régime irakien. Il s'excusa pour cette émission qui « avait outragé » Saddam Hussein et annonça au président, comme une bonne nouvelle, que le journaliste responsable avait été limogé. En conclusion, Dole déclara : « Laissez-moi vous préciser que douze heures auparavant, le Président Bush me déclarait qu'il recherchait de meilleures relations et que son gouvernement cherchait de meilleures relations avec l'Irak.

Je peux même vous assurer que le Président Bush s'opposera à des sanctions. Il pourra même opposer son veto à de telles décisions, à moins qu'une quelconque provocation se produise. »

L'ambassadeur américain April Glaspie, qui assistait à l'entretien mais qui était restée silencieuse, prononça alors quelques mots qui servirent de conclusion : « En tant qu'ambassadeur américain, je peux vous affirmer, monsieur le Président, que c'est bien la politique du gouvernement des États-Unis. »

Les propos conciliants formulés au cours de cette rencontre correspondaient aussi à des impératifs électoraux. Les sénateurs présents à Bagdad étaient tous les élus de grands États agricoles. Dole, par exemple, était le représentant du Kansas qui exportait de larges quantités de blé en Irak. Les intérêts commerciaux figuraient en effet en bonne place dans le souci de modération américain. Les États-Unis vendaient chaque année à Bagdad pour près d'1 milliard de dollars de blé, de riz, de poulet et de maïs. Ces exportations, depuis 1983, étaient financées pour une large part grâce à des prêts d'un montant de 5 milliards de dollars garantis par l'État américain.

Un représentant du Kansas résumait d'une phrase cette situation : « Nous fournissons aux Irakiens toute la nourriture dont ils ont besoin, à des prix subventionnés. »

Personne n'avait réellement envie de compromettre des échanges aussi fructueux.

Quand George Bush reçut à la Maison-Blanche la délégation sénatoriale rentrée d'Irak, il prêta une oreille attentive aux propos optimistes et modérés tenus par Robert Dole. Le sénateur voyait dans Saddam Hussein « le type de dirigeant que les États-Unis peuvent être en mesure d'influencer ».

Le général Brent Scowcroft, chef du Conseil national de sécurité, assistait à l'entretien. Cet homme à la longue silhouette et au visage émacié évoluait dans les coulisses du pouvoir suprême depuis de longues années. Il avait fait ses débuts à la Maison-Blanche, sous Richard Nixon, comme adjoint d'Henry Kissinger. Militaire porté à la pondération, par tempérament et par analyse, il rejoignait l'approche de Dole : l'Irak et son chef étaient des pièces maîtresses dans l'équilibre politique du Moyen-Orient.

Pour illustrer cette sérénité retrouvée, George Bush envoya le 25 avril un message d'amitié à Saddam Hussein à l'occasion de la fin des fêtes du Ramadan. Il y exprimait l'espoir que « les liens entre les États-Unis et l'Irak contribueraient à la paix et à la stabilité au Moyen-Orient ».

Peu après John Kelly témoigna devant la commission des affaires étrangères du Congrès. Au cours de son audition, il tint des propos absolument à l'opposé du langage de fermeté qu'il prônait le 2 avril, après les menaces de Saddam Hussein : « L'administration, dit-il, continue d'être opposée à l'imposition de sanctions. Elles pénaliseraient les exportateurs américains et aggraveraient notre déficit commercial. D'autre part je ne vois vraiment pas comment des sanctions pourraient accroître nos possibilités d'exercer une influence modératrice sur les actions irakiennes. »

Les propos de l'homme en charge des affaires du Moyen-Orient reflétaient l'attitude officielle du Département d'État : pas question pour le moment de prendre des mesures plus fermes envers l'Irak. Cette position était redevenue celle de James Baker. Le secrétaire d'État venait de croiser à Moscou le président égyptien, en visite officielle. Ils avaient discuté des menaces de Saddam Hussein, et Moubarak lui avait conseillé d'adopter dans cette affaire un profil bas, le meilleur moyen selon lui de désamorcer les provocations du leader irakien.

Au début du mois de mai, deux signaux alarmistes parvinrent à Washington. Aucun officiel n'était prêt à les prendre en compte. Il y eut d'abord un message surprenant de la CIA, envoyé à la Maison-Blanche. L'agence indiquait que les informations en sa possession révélaient qu'une « attaque irakienne contre le Koweït était devenue probable ». Les services de la Maison-Blanche avaient été alertés sur la possibilité d'une attaque... mais contre Israël. L'information fut accueillie avec un profond scepticisme et ne modifia pas la ligne officielle.

Une délégation d'experts militaires et politiques israéliens arriva peu après dans la capitale fédérale des États-Unis. Les analyses qu'ils développaient étaient sombres : le caractère modéré et réformateur du régime irakien était juste, selon eux, de la poudre aux yeux. Entre février et maintenant, ajoutaient-ils, Saddam Hussein n'avait cessé de durcir ses positions : il avait réclamé le départ des navires américains croisant dans le Golfe et demandé aux Arabes de réactiver l'arme du pétrole; il ne s'était pas contenté de menacer d'attaquer Israël, le principal allié de l'Amérique dans la région, il évoquait l'utilisation d'armes chimiques. Enfin, le renforcement constant et impressionnant de son appareil militaire était un signe supplémentaire de sa volonté agressive.

Les Israéliens échouèrent à faire partager leurs inquiétudes. Certains de leurs interlocuteurs attribuaient le ton irakien à la crainte d'un nouveau raid israélien contre les usines fabriquant des armes chimiques, d'autres à la volonté de Saddam de s'affirmer comme le leader du monde arabe.

Un étrange aveuglement dominait. On voyait dans l'homme fort de l'Irak un personnage à la perception du monde limitée. Il ne parlait pas d'autre langue que l'arabe et n'avait effectué qu'une seule visite à l'Ouest, durant l'année 1975, en France, où il avait négocié l'achat d'une centrale nucléaire avec le Premier ministre de l'époque, Jacques Chirac. Il ignorait tout des États-Unis et au cours d'une discussion avec un visiteur occidental il s'était montré passablement surpris d'apprendre que la moindre critique formulée à l'encontre du Président américain ne tombait pas sous le coup de lois aussi sévères qu'en Irak, où ce délit était puni de la peine de mort.

Personne ne semblait comprendre, à Washington, que c'était justement cette étroitesse de vues qui rendait Saddam Hussein dangereux. Il se comportait envers le reste du monde comme il agissait en Irak, ignorant les règles et les limites régissant les relations internationales.

Il avait possédé, durant plusieurs années, un remarquable observateur en la personne de son ambassadeur à Washington, Nizar Hamdoum, diplomate respecté qui entretenait des relations suivies avec de nombreux officiels américains de haut rang. Un mois après le début de la crise, le *Wall Street Journal* le qualifiait même de « meilleur ambassadeur étranger qui ait été en poste aux États-Unis ». Hamdoum avait été rappelé à Bagdad en 1987 pour être nommé vice-ministre des Affaires étrangères et son successeur ne possédait ni ses introductions, ni son brio. Une évidence pouvait s'imposer à Saddam, à travers les échanges de vues qu'il avait eus avec des responsables comme John Kelly ou Robert Dole, et aussi à travers les positions contradictoires adoptées par Washington : la direction américaine était indécise, velléitaire et plus portée au compromis qu'à l'affrontement. Un constat lourd de conséquences pour l'avenir.

Le 21 mai, un événement contribua à faire encore monter la tension de plusieurs crans. Un jeune soldat israélien tua sept Palestiniens, totalement désarmés, et malgré la condamnation immédiate de cet acte par le gouvernement de Jérusalem, l'agitation se développa dans les territoires occupés. L'Intifada, qui marquait le pas depuis quelques mois, reprit brusquement, avec une violence accrue. Ce drame ne pouvait pas plus mal tomber. Il survenait une semaine exactement avant le sommet de la Ligue arabe qui devait se tenir à Bagdad pour dénoncer l'immigration massive de juifs soviétiques en Israël. Juste après la tuerie, Washington bloqua une proposition de l'OLP aux Nations Unies qui réclamait l'envoi d'observateurs internationaux dans les territoires occupés. Cette attitude exacerba encore les sentiments anti-américains qui s'exprimaient avec virulence à travers le monde arabe. La Jordanie connut des démonstrations violentes et sanglantes.

Le 24 mai, à l'occasion d'une réception donnée dans les jardins luxuriants de son palais, le roi Hussein apparut à ses hôtes profondément préoccupé. Le souverain circulait entre les groupes d'invités, se mêlant quelques instants aux conversations, prononçant une parole aimable pour chacun.

Il maintenait avec élégance et entrain la fiction d'un pouvoir, le sien, à l'écart des soubresauts. Mais cet effort ne trompait personne et au détour d'une confidence lâchée alors que la soirée s'avançait, il révéla à quel point il se sentait impliqué : « Au cours du prochain sommet de Bagdad, je compte réclamer bruyamment une aide financière pour la Jordanie, mais aussi pour l'Organisation de libération de la Palestine. » Saddam Hussein lui avait confié peu auparavant : « Je les forcerai à payer pour vous. »

Les vingt et un rois et chefs d'État arabes qui se retrouvèrent le 28 au matin à Bagdad ignoraient tout du scénario qui se tramait. Ils étaient venus pour condamner l'afflux de juifs soviétiques mais aussi pour appuyer les propos de Saddam Hussein, menaçant de détruire la moitié d'Israël. Le maître des lieux était vraiment le héros du sommet. Jamais, depuis Gamal Abdel Nasser, un leader arabe n'avait paru en mesure d'inquiéter aussi efficacement l'État juif.

Pourtant la rencontre prit un ton déroutant. A la surprise générale, à l'issue de la séance d'ouverture, Saddam Hussein proposa la tenue d'une réunion privée. Le roi Fahd d'Arabie Saoudite tenta de s'y opposer, mais largement minoritaire il dut s'incliner. Les chefs d'État, et eux seuls, Saddam l'avait exigé, s'enfermèrent dans une salle. Aucun collaborateur n'avait été admis. Saddam avait précisé : « Ils n'ont pas à entendre les choses que nous avons à nous dire. »

Il prit la parole mais n'accusa ni Israël ni l'Amérique, comme chacun le pensait. Il se mit à dénoncer avec violence – frappant souvent avec la paume de sa main droite sur la table – l'attitude des États du Golfe :

– Ils extraient trop de pétrole et contribuent ainsi à maintenir les cours à un niveau trop bas. Chaque baisse d'1 dollar du prix du baril fait perdre à l'Irak 1 milliard de dollars par an. C'est une véritable guerre économique que vous menez contre mon pays.

L'assistance était stupéfaite et le cheikh Zayed, président de la Fédération des Émirats arabes unis, fut le premier à répondre et à se défendre. Cet homme de haute taille, drapé dans une abaya blanche à fils d'or, était un piètre orateur. Saddam Hussein répliqua :

– Je remercie les Émirats arabes qui ont eu l'attitude la plus positive envers nous, mais je vous avertis aussi que les cargaisons d'armes et de matériel militaire qui ont été acheminées de Dubaï (un des Émirats appartenant à la fédération) vers l'Iran durant la guerre, sont des choses que je n'ai pas oubliées et il y aura un jour où tout ceci sera additionné.

Moubarak, légèrement incliné, les yeux fixant la table, bouillait d'une fureur contenue. Kadhafi promenait un regard amusé sur l'assemblée, tandis que le roi Fahd d'Arabie Saoudite, la moue boudeuse, semblait partagé entre l'exaspération et l'ennui.

Le discours de Saddam Hussein, totalement improvisé, était un mélange déconcertant de revendications agressives, d'accusations précises et d'histoires arabes utilisées comme autant de paraboles. Il parlait avec emphase et les gestes qui ponctuaient ses propos se faisaient plus nombreux.

– Frères, laissez-moi vous raconter une vieille légende que certains d'entre vous connaissent peut-être. Un jour une catastrophe survint dans un petit village et on demanda à tous les villageois de contribuer à réparer les dommages en donnant quelque chose. Dans ce village vivait un homme très pauvre qui ne possédait aucun bien et les autres habitants décidèrent de ne rien lui demander. Mais l'homme pauvre s'approcha d'eux et dit qu'il serait honteux de ne pas participer. Il tendit aux autres villageois la seule chose dont il disposait, un pot en cuivre. Eh bien, à ce sommet l'Irak est cet homme pauvre, mais nous ne nous soustrairons pas à nos devoirs. Nous allons donner 50 millions de dollars à la Jordanie et 25 millions de dollars à l'OLP. Ceci contribuera à maintenir une pression morale sur ceux qui seraient tentés de ne pas participer. Vous savez tous les sacrifices que nous avons acceptés depuis des années, alors que d'autres ne respectent pas les accords conclus.

Il fixait maintenant Jaber Al Sabah, l'émir du Koweït, assis à quelques mètres. Les deux hommes éprouvaient depuis longtemps l'un pour l'autre une profonde antipathie.

– Les quotas assignés par l'OPEP jusqu'en mars prévoyaient que le Koweït ne devait pas dépasser une production quotidienne d'1,5 million de barils ; en fait il n'a cessé d'extraire, chaque jour, 2,1 millions de barils. A notre détriment. L'Irak veut retrouver sa situation économique de 1980, avant le début de la guerre avec l'Iran. Dans l'immédiat, nous avons un besoin urgent de 10 milliards de dollars, en plus de l'annulation des 30 milliards de dollars de prêts qui nous furent accordés par le Koweït, les Émirats arabes et l'Arabie Saoudite durant la guerre. En fait, frères arabes, il faut que tout ceci soit dit avec netteté, nous vivons aujourd'hui un autre conflit...

Il parlait maintenant avec violence...

– ... Une agression ne se mène pas uniquement en utilisant des chars, de l'artillerie, des navires. Elle peut prendre des formes plus insidieuses et plus subtiles, tels la surproduction de pétrole, les préjudices économiques ou les pressions pour rendre un peuple esclave.

Ces derniers mots furent prononcés dans un silence glacial que rompit le roi Hussein pour ajouter :

– Rien ne doit être fait qui endommage économiquement l'Irak.

La parole était à ceux qui avaient été mis en accusation, notamment le roi d'Arabie Saoudite et surtout l'émir du Koweït. Tous deux ne formulèrent que des généralités. Ils ne prodiguèrent aucun encouragement et ne firent aucune promesse d'aide. Ce qui frappa surtout les chefs d'État présents, ce fut l'étrange calme, proche de l'indifférence, de l'émir Jaber. Il y avait dans son attitude et celle de sa délégation, qu'il rejoignit peu après, quelque chose qui s'apparentait à du mépris pour la position et les revendications irakiennes.

A trois reprises depuis la fin de la guerre Iran-Irak, la production de l'OPEP avait augmenté, à chaque fois sur l'insistance des responsables koweïtiens qui n'avaient jamais nié, devant les nombreux émissaires envoyés par Bagdad, une telle intervention.

Les Koweïtiens aimaient qu'on qualifie leur pays de « Suisse du Moyen-Orient ». Ils avaient trop tendance à oublier la définition beaucoup plus restrictive qu'en donnaient les Irakiens : « Un puits de pétrole transformé en État. » Ils avaient aussi oublié la tentative d'invasion lancée par Saddam Hussein en 1973. Les troupes irakiennes avaient alors envahi tout le Nord de l'émirat mais s'étaient retirées rapidement sous les pressions du monde arabe.

Les dirigeants irakiens conduisaient leur politique en se référant constamment à cinq mille ans d'un passé glorieux et embelli. Ils vivaient immergés dans l'histoire d'un empire disparu dont ils cherchaient à reconstituer la puissance et le rayonnement. Les Koweïtiens, gestionnaires avisés, vivaient eux dans le présent, l'œil rivé sur le niveau de leurs investissements colossaux à travers le monde. Ils pensaient que les menaces irakiennes butaient sur une limite évidente : jamais, dans l'histoire moderne de la nation arabe, un pays n'en avait envahi un autre.

Il existait cependant une formule qui s'appliquait parfaitement au Koweït et sonnait comme une sentence : « Un monde sans mémoire devient un monde sans avenir. »

Dans les couloirs et les salons du palais, à l'issue de l'intervention de Saddam Hussein, les conversations allaient bon train. Une conclusion s'imposait à tous, chefs d'État, ministres, conseillers diplomatiques : le régime irakien et son chef traversaient de graves difficultés ; mais seuls certains esprits audacieux allaient jusqu'à prédire que l'unique solution qui s'offrait désormais à Saddam Hussein était de se saisir du Koweït.

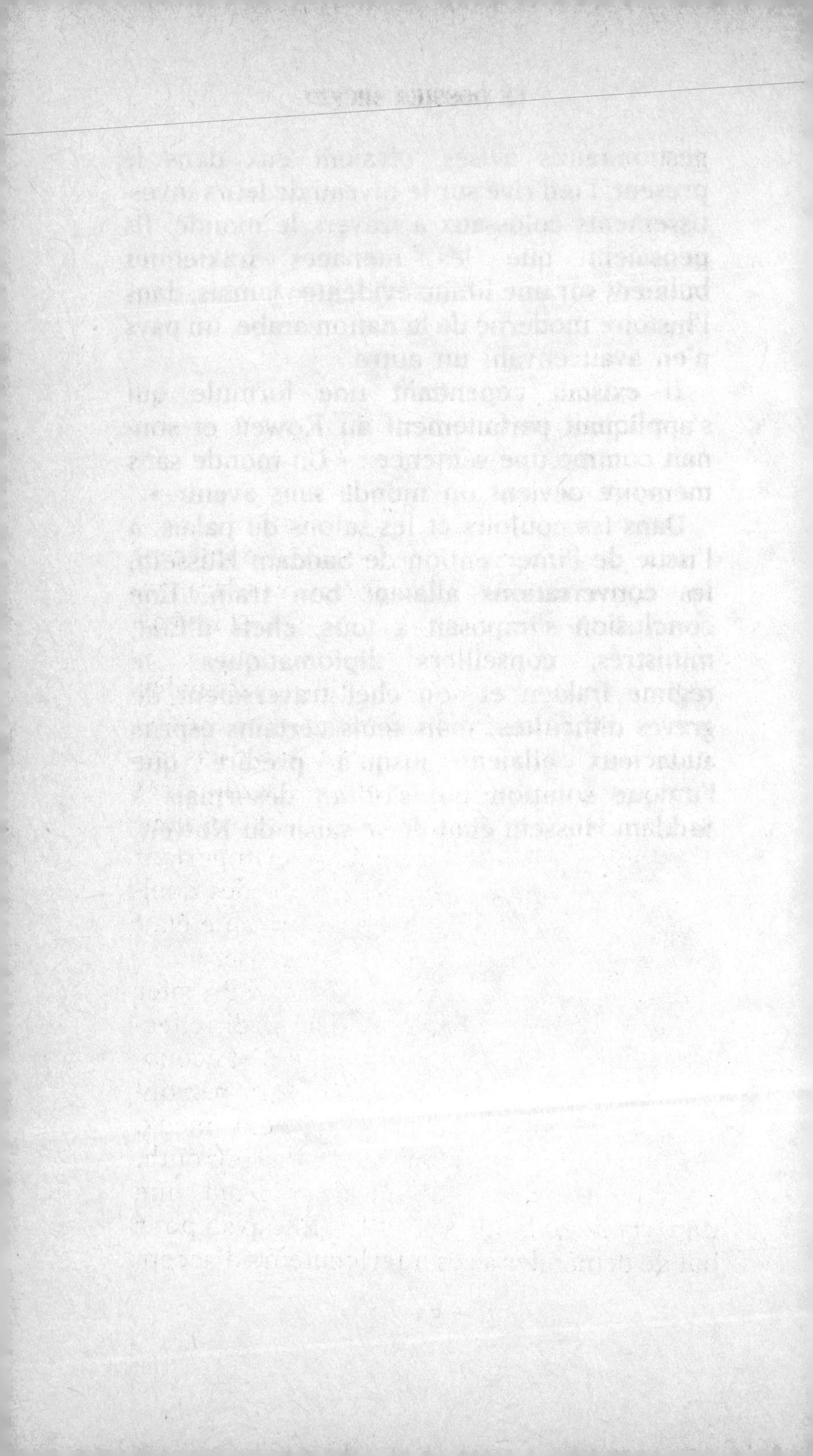

CHAPITRE IV

Les premières semaines qui s'écoulèrent entre le 30 mai et le 2 août furent étrangement calmes, comme si les passions et les calculs avaient perdu de leur force.

Au milieu du mois de juin, une personnalité européenne en visite à Washington évoqua avec plusieurs de ses interlocuteurs le cas irakien. « Aucun, dit-il, ne considérait alors cet État comme une menace. Ils le voyaient essentiellement comme un marché important pour les produits américains et un des quelques pays où la technologie américaine était encore préférée à sa rivale japonaise. »

A la fin du mois de juin le vice-Premier ministre irakien, Saddoum Hammadi, effectua une tournée des pays du Golfe. Cet économiste chiite de soixante ans était un personnage fin et élégant, profondément pieux, formé à l'université américaine de Beyrouth. Sa visite se déroulait un mois avant une importante réunion de l'OPEP. Elle avait pour but de demander à ses interlocuteurs d'accepter des quotas de production plus faibles et de les respecter, afin de faciliter une remontée des prix du pétrole. Il s'arrêta le 25 juin à Riyād où il pria le roi Fahd d'appuyer la démarche irakienne. Le royaume saoudien était le seul pays en mesure de faciliter l'application d'une telle stratégie.

En 1930, ibn Séoud, le fondateur de l'Arabie Saoudite, confiait qu'il « était tellement pauvre qu'il ne possédait même pas une pierre pour poser sa tête ». Deux ans plus tard, le royaume qu'il venait de créer, en unifiant autour de lui les tribus bédouines, n'avait d'autre ressource que les droits d'entrée acquittés par les pèlerins se rendant à La Mecque et, certaines années, ces recettes étaient si faibles que le pays se trouvait au bord de la faillite. Ibn Séoud lançait alors des appels désespérés aux grandes compagnies pétrolières, essentiellement britanniques, pour qu'elles exploitent son pétrole. « Contre 1 million de dollars, confia-t-il à un homme d'affaires anglais, je leur cède toutes les concessions qu'ils voudront. » La somme était ridiculement basse mais la proposition n'intéressait personne. Il existait de telles quantités de pétrole disponibles, extraites notamment par l'Iraq Petroleum Company, que les grandes sociétés étaient tombées d'accord sur un point essentiel : le pétrole saoudien ne devait jamais sortir des profondeurs du sous-sol désertique, pour ne pas aggraver la surproduction, et la péninsule arabique ne présentait aucun attrait commercial et politique.

Cinquante ans plus tard, l'Histoire avait basculé. L'Arabie Saoudite s'était imposée comme un géant pétrolier, aux ressources immenses, capable de jeter sur le marché 8 ou même 10 millions de barils par jour. Il n'y avait pas une décision importante en matière de stratégie pétrolière qui pût être élaborée sans les Saoudiens. Mais l'actuel souverain, le roi Fahd, était tout sauf un homme de décisions rapides et radicales. Le royaume était un pays de rentiers où la richesse (plus de 150 milliards de dollars de revenus), obtenue trop rapidement et aisément, se doublait d'une politique régionale prudente et parfois même hésitante.

Le roi Fahd, comme la plupart des membres de la famille royale, n'aimait guère l'arrogance des Koweïtiens prompts à s'afficher comme un pays plus ouvert et développé que le royaume voisin. Les Saoudiens qui considéraient, depuis sa création, leur pays comme une seule et immense mosquée, avaient le regard tourné vers La Mecque; les Koweïtiens, eux, avaient les yeux fixés sur l'Occident. Il ne déplaisait pas à Fahd de déceler l'inquiétude perceptible à Koweït City, mais il savait aussi que les menaces de Saddam Hussein étaient autant de coups de boutoir qui risquaient d'ébranler toutes les monarchies pétrolières de la région.

Il reçut longuement l'émissaire irakien dans son palais et écouta attentivement ses demandes. Organiser une réunion spéciale de l'OPEP pour que soit instaurée une véritable discipline au sein des pays pétroliers? Le roi approuvait, souriant avec aménité à son hôte. Massif, le visage rond orné d'une petite barbe, le regard fatigué (comme la plupart des membres de la dynastie wahhābite, depuis Ibn Séoud, il souffrait d'un problème héréditaire aux yeux), Fahd ajoutait aussitôt du même ton posé et aimable qu'il n'était pas nécessaire d'agir avec précipitation. Les ministres du Pétrole qui devaient se réunir à la fin du mois prochain à Genève pourraient aborder cette question. Pour l'instant mieux valait laisser les choses en l'état.

Avec le roi, homme aux gestes et aux propos lents, le temps semblait pouvoir se diviser à l'infini. Mais ce temps était justement le facteur qui faisait le plus défaut aux Irakiens. La réponse de Fahd était difficile à admettre pour eux.

Au roi, comme au cheikh Zayed, Saddoum Hammadi rappela la demande de Saddam Hussein pour une contribution de 10 milliards de dollars. Il ne reçut que des réponses évasives. Lorsqu'il fit halte au Koweït il réitéra ce souhait à l'émir Jaber qui lui répondit :

– Mais c'est de la folie! Nous n'avons pas une telle somme disponible.

Hammadi, dans toutes les discussions, avait à la main deux feuilles de papier tapées à la machine et agrafées l'une à l'autre, sur lesquelles était mentionné le détail des actifs détenus par le Koweït à travers le monde. Le total de ces investissements était impressionnant. Plus de 100 milliards de dollars. A ces remarques sur la richesse de son pays, l'émir répondit en proposant de verser, étalée sur trois ans, la somme de... 500 millions de dollars, une aumône pour Bagdad. Puis il enchaîna en disant : « Mettons-nous d'accord sur le tracé des frontières, ratifions-le, puis nous pourrons parler d'autre chose. »

A peine rentré à Bagdad, Hammadi prit connaissance d'une déclaration du ministre koweïtien du Pétrole qui annonçait que son pays maintiendrait ses quotas excédentaires jusqu'en octobre. Cette décision, plus le refus saoudien d'une réunion spéciale de l'OPEP, convainquirent Saddam Hussein qu'il y avait, comme il le confia à un de ses collaborateurs, « une tentative pour mettre l'Irak à genoux ».

Le 16 juillet, Tarek Aziz, le ministre irakien des Affaires étrangères, arriva à Tunis pour participer à une réunion de la Ligue arabe; sexagénaire enveloppé, aux lunettes sévères et à l'épaisse moustache poivre et sel, il était un des rares chrétiens à occuper de hautes fonctions dans l'appareil dirigeant irakien. Son prénom réel était Johanna. D'un abord aimable, il pouvait exprimer, avec courtoisie et subtilité, la plus totale intransigeance. Véritable commis voyageur de Saddam Hussein sur la scène internationale, il avait représenté l'Irak dans toutes les négociations délicates, qu'il s'agisse des discussions avec les pays européens sur le rééchelonnement de la dette de son pays ou des pressions exercées pour obtenir de nouvelles ouvertures de crédit en matière d'armement. Il exprimait avec zèle, talent, et parfois brutalité, ce que Saddam Hussein pensait et voulait.

Les réunions de la Ligue arabe n'étaient, la plupart du temps, que des rencontres feutrées où tous les participants tombaient tacitement d'accord pour que leurs différends ne soient pas étalés au grand jour. Tarek Aziz lui, dès son arrivée à Tunis, instaura un climat tendu : « Nous savions, dira un témoin, que c'était un homme dur dans le choix de ses propos, quand il exprimait la position de son pays, mais d'un contact agréable dans le privé. Cette fois, il se tenait à l'écart, hautain et sec, comme s'il voulait déjà souligner les divergences qui existaient entre l'Irak et certains États de la Ligue. » La délégation irakienne se montra pointilleuse sur le protocole, réduisant au minimum ses contacts avec les autres diplomates.

Un autre facteur expliquait ce comportement. Depuis ses menaces contre Israël, Saddam était devenu un véritable héros au sein des masses arabes, un homme dont on écoutait attentivement les propos. Ceux que tint Tarck Aziz à Tunis auraient pu, chacun le savait, être mis mot pour mot dans la bouche de Saddam Hussein : « Nous sommes convaincus que certains États sont engagés dans une véritable conspiration contre nous. Il faut que vous sachiez que notre pays ne s'agenouillera pas, que nos femmes ne deviendront pas des prostituées et que nos enfants ne seront pas privés de leur nourriture. » Il remit, immédiatement après cette intervention, un mémorandum au secrétaire général de la Ligue, Chadli Klibi, en précisant que le lendemain, 17 juillet, Saddam Hussein irait au cœur du sujet.

Klibi, diplomate tunisien à l'allure d'intellectuel timide, était un homme pondéré. Il resta sans voix à la lecture de ce texte. Il s'agissait d'une véritable déclaration de guerre de l'Irak au Koweït. Les griefs avancés ne portaient plus cette fois sur la surproduction pétrolière. Bagdad accusait le Koweït d'avoir installé des postes militaires à l'intérieur de son territoire et d'avoir volé plus de 2,4 milliards de dollars de pétrole extrait du champ pétrolifère de Roumaylah revendiqué par l'Irak. Le Koweït et la Fédération des Émirats étaient également mentionnés comme faisant partie d'un « complot sioniste et impérialiste contre la nation arabe ». Marwan Al Qasim, le ministre jordanien des Affaires étrangères, dit à Tarek Aziz : « Vous êtes en train de dresser un piège. Ne tombez pas dedans. »

Chadli Klibi transmit une copie de ce mémorandum à chaque ministre des Affaires étrangères présent. Le cheikh Sabah Al Ahmad, qui dirigeait depuis de longues années la diplomatie du Koweït, resta « comme groggy », selon un témoin, quand il découvrit le détail des accusations. Il était d'ailleurs accusé par Bagdad d'être un agent à la solde des Américains. Il décida d'annuler tous ses rendez-vous et de rentrer d'urgence à Koweït City.

Les brokers et les banquiers travaillant sur les places financières asiatiques, Hong Kong et Singapour, observaient depuis la fin du mois de mai d'étranges mouvements. Le KIO, le Koweït Investment Office, l'organisme installé à Londres qui gérait les gigantesques placements koweïtiens à travers le monde, avait effectué d'importantes ventes nullement justifiées en apparence. Quelques jours après la réunion de Tunis, à partir du 19 juillet, le KIO commença d'opérer un désengagement complet des marchés asiatiques pour se placer en liquidités. Les opérateurs koweïtiens avaient agi avec rapidité mais aussi avec une remarquable discrétion pour éviter que la nouvelle ne s'ébruite et ne provoque un minikrach sur les places où la présence du KIO était significative.

Le 17 juillet, jour anniversaire de la révolution irakienne, Saddam apparut à la tribune entouré des membres du Conseil du commandement de la révolution. Tous étaient en uniforme. Bagdad, à chaque apparition publique du chef de l'État, était placé pratiquement en état de siège, mais ce jour-là les mesures de sécurité avaient encore été renforcées.

– Grâce à nos nouvelles armes, dit Saddam

dans son discours prononcé peu après à la radio, les impérialistes ne peuvent plus, désormais, lancer une attaque militaire contre nous, aussi ils ont choisi de se livrer maintenant à une guérilla économique avec l'aide de ces agents de l'impérialisme que sont les dirigeants du Golfe. Leur politique qui consiste à maintenir les prix du pétrole à bas niveau est une dague empoisonnée enfoncée dans le dos de l'Irak.

Pour la première fois, il évoqua la menace d'une intervention militaire :

– ... Si les mots échouent à nous protéger, nous n'aurons pas d'autres choix que de nous lancer dans une action pour rétablir correctement les choses et assurer la restitution de nos droits.

Le même jour, les premières troupes irakiennes commencèrent à faire mouvement vers la frontière du Koweït.

Le 18 juillet, en fin d'après-midi, les membres du gouvernement koweïtien se réunirent. Les hommes qui descendaient des luxueuses limousines américaines, tandis que le soleil commençait à décroître sur la mer proche, avaient tous le visage tendu. La menace était là, palpable, à quelques dizaines de kilomètres avec les colonnes de chars irakiens T 62 qui progressaient en direction de leur pays. La plupart ne voulaient pas croire encore à l'irréparable, même si l'ampleur du danger s'imposait.

L'émir Jaber arriva le dernier, en compagnie du prince héritier qui était aussi Premier ministre, le cheikh Saad Al-Abdullah Al Sabah. Le prince venait juste de rentrer d'Arabie Saoudite où le roi Fahd s'était proposé comme médiateur. L'émir et son Premier ministre s'étaient entretenus avant la réunion du cabinet. Ils envisageaient l'un et l'autre la possibilité d'une attaque irakienne contre l'émirat, mais ils pensaient que ce serait une opération limitée aux zones frontalières contestées par Bagdad. Personne n'était prêt à admettre que le Koweït était une parenthèse de paix prête à se refermer.

La réunion du cabinet devait porter sur la réponse à donner au mémorandum remis deux jours plus tôt par Tarek Aziz, dans lequel le Koweït était accusé d'avoir volé 2,4 milliards de pétrole à l'Irak.

En fait, les nombreuses interventions qui se succédèrent révélèrent surtout l'inquiétude et la confusion qui s'étaient emparées des esprits.

Le premier à prendre la parole fut Ali Khalifa Al Sabah, ancien ministre du Pétrole devenu un entreprenant ministre des Finances. Cet homme aux manières de banquier occidental était une personnalité respectée au sein de la communauté financière internationale : « Je pense, dit-il, que l'Irak essaie de sauver son économie et blâme les États du Golfe pour ses échecs. Mais nous ne devons pas nous faire d'illusions. Le ton de l'Irak ne changera pas, même après la réunion de l'OPEP à Genève. Il continuera l'escalade et la confrontation. »

Le constat de Khalifa Al Sabah suscita des hochements de tête approbateurs de plusieurs de ses collègues. Ce qu'il préconisa ensuite était probablement moins réaliste. Il suggérait la recherche d'une solution à travers le Conseil de coopération du Golfe, un organisme de défense qui regroupait le Koweït, les Émirats arabes unis, Oman, Qatar, Bahreïn et l'Arabie Saoudite, soit toutes les monarchies régnantes de la région que Bagdad avait désignées comme ses adversaires.

Certains intervenants, tels le ministre en charge du Parlement et celui responsable des affaires du cabinet, s'accrochaient à l'idée que les menaces irakiennes n'avaient qu'un but : « extorquer de l'argent, beaucoup d'argent au Koweït ». L'un d'eux ajouta même : « Nous devons rester calmes. » Salman Al-Mutawa, le ministre en charge de la planification, alla jusqu'à considérer que le mémorandum envoyé par l'Irak « était faible et permettait une réponse facile ».

En réalité ces opinions étaient minoritaires. Le ministre de la Défense, cheikh Naiwal Al Sabah, avait beau rejeter les accusations irakiennes en prétendant que c'était Bagdad qui avait installé son matériel militaire de l'autre côté de la frontière, le fond du débat n'était plus là. Quelle était désormais la gravité de la menace irakienne ? L'émir avait posé la question. Cheikh Al-Ahmad Al Sabah, le chef de la diplomatie, l'homme qui avait été bouleversé par le mémorandum et les accusations de Tarek Aziz, répondit : « Il y a une possibilité d'agression irakienne. La situation sur la frontière est explosive. Nous avons engagé d'intenses contacts diplomatiques avec nos frères du Conseil de coopération du Golfe. »

La négociation ! Le mot revenait dans toutes les bouches comme l'ultime espoir avant le naufrage. Tous avaient oublié les multiples rencontres entre émissaires de l'Irak et du Koweït pendant lesquelles les représentants de l'émirat, à la fois désinvoltes et fermes, multipliaient les fins de non-recevoir aux demandes de leurs partenaires.

« Je crois, dit le prince héritier, que les Irakiens pourraient prendre des mesures militaires mais elles resteront limitées à une opération sur nos frontières, dans la zone de Ritqa et Quasar. »

Au fur et à mesure que le temps s'écoulait, les membres du gouvernement commençaient presque à se rassurer, et c'est d'une oreille distraite qu'ils écoutèrent l'intervention de leur collègue de la justice, Dhari-Othman, la plus remarquable pourtant de toute cette réunion. « Le mémorandum irakien est juste un début. Dieu seul sait jusqu'où ils iront. La question des prix du pétrole est seulement un prétexte avancé par l'Irak. En fait l'Irak et le Koweït se font face comme le loup et l'agneau. »

Les discussions se déplacèrent ensuite sur le terrain économique et devinrent plus confuses. Fallait-il accéder à la requête irakienne portant sur 10 milliards de dollars et l'effacement des dettes précédentes ?

Aucune décision ne fut arrêtée et pourtant le temps pressait. Le cheikh Al-Hamad Al Sabah fut chargé d'organiser d'urgence, à Koweït City, une réunion du Conseil de coopération du Golfe qui réclamerait l'intervention de la Ligue arabe. Aucune mesure d'ordre militaire ne fut adoptée.

L'équipe dirigeante du Koweït croyait peut-être détenir un ultime atout : l'appui des États-Unis. Un étrange document remontant au 22 novembre 1989 et qui aurait été découvert par les Irakiens (il n'a fait jusqu'ici l'objet d'aucun démenti du gouvernement koweïtien en exil ni du gouvernement américain) apporte un éclairage surprenant sur la crise en cours. Ce document [1] était un mémorandum rédigé par Fahd Hakmad Al Fahd, le directeur de la sécurité d'État, et adressé au ministre de l'Intérieur. Son paragraphe 5 mentionnait :

« Nous sommes tombés d'accord avec la partie américaine pour estimer qu'il était important de profiter de la détérioration économique de l'Irak afin de mettre la pression sur le gouvernement de ce pays dans le but de provoquer une tension sur la frontière

1. Voir texte complet en annexe.

commune. La CIA nous a formulé son point de vue sur les meilleurs moyens de maintenir cette pression. Ses responsables nous ont dit qu'une large coopération devait être instaurée à la condition que ses activités soient coordonnées au plus haut niveau. »

Le directeur de la sécurité d'État évoquait aussi un voyage de six jours, effectué à Washington entre le 12 et le 18 novembre, où il avait eu de nombreuses réunions « top secret » avec les responsables de la CIA. L'agence de renseignement américaine s'était montrée peu satisfaite des performances de la garde royale koweïtienne chargée d'assurer la protection de l'émir. Ce dernier avait fait l'objet de plusieurs tentatives d'attentat et la CIA, selon ce mémorandum, se préparait à former et à entretenir cent vingt-trois personnes, sélectionnées par les autorités koweïtiennes, qui auraient la charge, à l'avenir, de garantir la sécurité de l'émir et du prince héritier.

Les Koweïtiens étaient-ils allés trop loin, persuadés que Washington les appuierait jusqu'au bout ? Les dirigeants de l'émirat étaient convaincus d'avoir depuis longtemps le soutien des États-Unis, notamment depuis 1987, en pleine guerre Iran-Irak, lorsque les tankers koweïtiens avaient été « repavillonnés » sous drapeau américain pour les protéger.

Ce même jour, le parlement irakien fit connaître la décision, évidemment unanime, qu'il venait d'adopter : Saddam Hussein était nommé président à vie.

Le 24 juillet, des renseignements parvinrent au quartier général de la CIA indiquant que deux divisions irakiennes avaient quitté leurs bases pour prendre position sur la frontière koweïtienne.

Le même jour, Hosni Moubarak arriva dans la matinée à Bagdad, chargé d'un rôle de médiation. Ce choix de la Ligue arabe n'était pas des plus heureux, étant donné les rapports empreints de méfiance existant entre le chef d'État égyptien et Saddam Hussein.

Saddam confia à son homologue : « Aussi longtemps que dureront les discussions entre l'Irak et le Koweït, je n'utiliserai pas la force. Je n'interviendrai pas par la force avant d'avoir épuisé toutes les ressources de la négociation ; mais, frère Moubarak, ne le dis pas aux Koweïtiens. Ne leur donne pas d'espoir, ceci les rendrait arrogants. »

Immédiatement après cette rencontre, Moubarak s'envola pour le Koweït où il rapporta à l'émir les confidences du président irakien... en partie seulement. « Soyez sûre, Excellence, que j'ai entendu de la bouche de Saddam Hussein qu'il n'enverra pas de troupes et qu'il n'envisage pas d'attaquer le Koweït. »

Il omit d'ajouter « tant que dureront les négociations ». Il transmit le même message tronqué à Washington.

Le 25 juillet, Saddam convoqua l'ambassadeur américain. April Glaspie, avertie seulement une heure à l'avance de cette entrevue, fut dans l'impossibilité de demander des instructions au Département d'État. A treize heures, tendue, elle pénétra dans le bureau du leader irakien. C'était sa première rencontre en tête à tête avec lui. Le dialogue qui s'instaura fut étonnant, déroutant même, et constitue un document de première importance, obtenu par la chaîne de télévision américaine ABC, qui contient de nombreux messages, parfois involontaires, qu'il est intéressant de décoder.

Saddam Hussein avait à ses côtés Tarek Aziz. Après avoir accueilli aimablement l'ambassadeur et lui avoir indiqué un siège, il lui dit d'emblée :

– Je vous ai demandé de venir pour que nous ayons des discussions politiques approfondies. C'est un message adressé au Président Bush.

Cet entretien est donc considéré par Saddam Hussein comme une rencontre au plus haut niveau. Il entame alors l'historique des relations entre l'Irak et l'Amérique :

– La décision de rétablir les relations diplomatiques avec l'Amérique fut prise en 1980, deux mois avant la guerre avec l'Iran. Quand le conflit éclata et pour éviter toute interprétation tendancieuse, nous reportâmes à plus tard la reprise des relations diplomatiques, convaincus que la guerre ne serait pas longue.

« Elle dura, au contraire, et pour bien montrer que nous sommes un pays non aligné, il importait de renouer des relations diplomatiques avec l'Amérique sans attendre la fin de la guerre, ce que nous fîmes en 1984. Ces relations rétablies, nous en attendions une meilleure compréhension et coopération, car nous aussi ne saisissions pas toujours le fondement de maintes décisions américaines.

« Mais nos relations avec l'Amérique souffrirent de divers aléas. Le plus grave, en 1986, est évidemment l'Irangate, qui éclata alors que l'Iran occupait la presqu'île de Fao.

« Quand les intérêts entre deux États sont limités et les relations récentes, la compréhension mutuelle est encore plus faible et les malentendus ont des effets d'autant plus négatifs. Parfois même la conséquence d'une faute peut être plus grave que la faute elle-même. Malgré tout cela, nous acceptâmes les excuses, via son envoyé, du Président américain à propos de l'Irangate et nous effaçâmes l'ardoise. Et nous n'entendons pas remuer le passé, à moins que des événements nouveaux ne nous fassent penser que les vieilles erreurs n'étaient pas de pures coïncidences. Nos soupçons s'accrurent après la libération de la presqu'île de Fao. Les médias (américains) commencèrent à se mêler des affaires irakiennes. Et nos soupçons refirent surface, au point que nous en vînmes à nous demander si les États-Unis n'étaient pas désormais incommodés par l'issue du conflit en notre faveur. »

Après ce long exposé, il ajoute :

– Il est clair pour nous que certains milieux aux États-Unis – j'en exclus le Président – qui ont des liens avec le Renseignement et le Département d'État – je ne veux pas parler non plus du secrétaire d'État –, eh bien ces milieux n'apprécient pas le fait que nous libérions notre terre. Ils préparent des études intitulées : “ Qui succédera à Saddam Hussein ? ” et sont déjà entrés en contact avec des États du Golfe pour intimider l'Irak et les persuader de ne pas nous accorder d'aide économique. Nous avons la preuve de ces activités...

Le président considère là les divisions apparues au sein du monde arabe comme faisant partie d'un complot américain destiné à saper le régime irakien.

Saddam Hussein fait une pause puis au bout de quelques instants reprend son monologue.

– L'Irak, du fait de la guerre, a contracté 40 milliards de dollars de dettes, sans compter l'aide des États arabes que certains d'entre eux considèrent d'ailleurs comme une dette de notre part à leur égard, alors qu'ils savent parfaitement que, sans l'Irak, ils n'auraient pas eu le loisir de jouir de leurs revenus car le destin de la région eût été totalement différent.

« Nous dûmes ensuite subir la politique de chute des prix du pétrole. Puis la campagne contre Saddam Hussein commença dans les médias américains officiels. Les États-Unis développaient le point de vue que la situation en Irak était similaire à celle de la Pologne, de la Tchécoslovaquie ou de la Roumanie. Nous fûmes désagréablement surpris par cette campagne, mais jusqu'à un certain point seulement, parce que nous espérions que, passés quelques mois, les grands décideurs américains finiraient par se rendre compte des faits et par vérifier si cette campagne avait le moindre effet sur les Irakiens. Nous avions espéré que les autorités américaines prendraient bientôt la décision appropriée en ce qui concerne leurs relations avec l'Irak. Avec de bonnes relations on peut, de temps à autre, se payer le luxe de n'être pas d'accord.

« Mais quand une politique délibérée et planifiée entraîne la baisse du prix du pétrole, sans raison commerciale, cela signifie qu'une autre guerre est lancée contre l'Irak.

Pour Saddam Hussein, ces actions menées dans le domaine pétrolier par les États du Golfe équivalent à une véritable déclaration de guerre.

« La guerre militaire tue les peuples en les saignant. La guerre économique, en les privant de la possibilité d'une vie enfin meilleure. Vous le savez, nous avons versé des rivières de sang dans une guerre de huit ans, mais nous n'avons pas perdu notre humanité. Les Irakiens ont le droit de vivre dans la dignité. Nous n'acceptons pas qu'on vienne attenter à l'honneur irakien ou aux droits des Irakiens à une vie matérielle digne.

« Le Koweït et les Émirats arabes unis ont pris la tête de cette politique d'abaissement de l'Irak et se sont employés à priver son peuple d'un meilleur niveau de vie. Et vous savez pourtant que nos relations avec les Émirats étaient bonnes. Par-dessus le marché, pendant que nous faisions la guerre, le Koweït a entrepris de s'étendre territorialement à nos dépens.

A cet instant, il désigne clairement le Koweït comme la cible principale.

« Vous me direz que c'est de la propagande. Je vous renvoie à un document – la ligne des patrouilles militaires – qui est la ligne avalisée par la Ligue arabe en 1961, afin que les patrouilles ne franchissent pas la frontière Irak-Koweït.

« Mais allez vous-même sur place. Vous verrez les patrouilles koweïtiennes, les fermes koweïtiennes, les installations pétrolières koweïtiennes, toutes le plus près possible de cette ligne, afin d'établir ces terres comme territoire koweïtien.

« Depuis 1961, le gouvernement koweïtien n'a pas changé, à la différence du gouvernement irakien. Même après 1968 [1], et pendant dix années, nous restâmes accaparés par nos problèmes internes. Dans le Nord [2] pour commencer puis par la guerre de 1973 [3], ainsi que par d'autres difficultés. C'est alors que le conflit avec l'Iran éclata.

1. L'année où le Baas prit le pouvoir.
2. La guerre contre les Kurdes.
3. Guerre du Yom Kippour.

« Les États-Unis parviennent à s'entendre avec les peuples qui vivent dans le luxe et la sécurité économique, sur leurs intérêts mutuels légitimes. Mais les pays affamés et étouffés économiquement n'ont pas la même faculté de compréhension.

« Nous n'acceptons les menaces de personne, car nous ne menaçons personne. Mais nous espérons fermement que les États-Unis n'entretiennent pas trop d'illusions à cet égard et qu'ils chercheront à se faire de nouveaux amis plutôt qu'à augmenter le nombre de leurs ennemis.

« J'ai lu les déclarations américaines sur leurs amis dans la région. C'est le droit de chacun bien sûr de choisir ses amis. Nous n'y faisons aucune objection. Mais vous savez bien que ce n'est pas vous qui avez protégé vos amis durant la guerre avec l'Irak. Je peux vous assurer que si les Iraniens avaient submergé la région, les troupes américaines ne les auraient pas arrêtés, sauf à employer les armes nucléaires.

« Mon propos n'est pas de vous rabaisser. Mais je m'en tiens à la géographie et à la nature de la société américaine. Celle-ci n'est pas prête à risquer dix mille morts dans une seule bataille.

« Vous n'ignorez pas que l'Iran accepta le cessez-le-feu. Mais ce n'était pas parce que les États-Unis avaient bombardé une de ses plates-formes pétrolières après la libération de Fao par nos soins. Est-ce là la récompense de l'Irak pour avoir assuré la stabilité de la région et pour l'avoir protégé d'une marée sans précédent?

« Aussi que veut dire : " Les Américains protégeront leurs amis "? Cela signifie à l'évidence une attitude hostile à l'égard de l'Irak.

« Cette position, plus les manœuvres et vos déclarations ont encouragé les Émirats et le Koweït à ne tenir aucun compte des droits irakiens. »

Saddam Hussein juge les divisions apparues au sein du monde arabe comme faisant partie d'un complot américain destiné à saper l'Irak et son propre pouvoir.

– ... Je peux vous dire que tous les droits revendiqués par l'Irak seront acquis un à un. Nous les prendrons tous. Nous n'y arriverons peut-être pas maintenant ou dans un mois ou après une année, mais nous y arriverons. Nous ne sommes pas le genre de peuple qui abandonne ses droits. Il n'y a aucune justification historique ou économique, aucune légitimité pour le Koweït ou les Émirats à nous priver de nos droits. S'ils sont nécessiteux, nous le sommes aussi...

Après avoir exprimé sans ambages sa volonté de faire respecter les droits de l'Irak, Saddam Hussein enchaîne immédiatement :

– Les États-Unis doivent parvenir à une meilleure compréhension de la situation et désigner clairement qui sont leurs ennemis et les pays avec lesquels ils veulent entretenir des relations. Mais ils ne devraient pas considérer comme ennemis ceux qui ont simplement un point de vue différent du leur sur le conflit israélo-arabe.

« Nous comprenons la position américaine sur une offre pétrolière soutenue. Nous comprenons que l'Amérique noue des relations amicales avec les États de la région aux fins d'intérêt mutuel. Mais nous ne pouvons pas comprendre les encouragements, prodigués à certaines parties, de nuire aux intérêts de l'Irak.

« Les États-Unis veulent des approvisionnements pétroliers sûrs. C'est un souci légitime, et dont nous tenons compte. Mais vous ne devez pas employer, pour ce faire, des méthodes que les États-Unis disent par ailleurs désapprouver, en bandant vos muscles et usant de pressions. Si vous usez de pressions, nous répondrons par des pressions et montrerons notre force. Vous savez que vous pouvez nous faire du mal alors que nous n'avons pas la capacité de vous menacer. Mais nous pouvons nous aussi vous faire du mal. Chacun peut porter des coups à la mesure de ses moyens et de sa taille. Nous ne pouvons pas débarquer aux États-Unis, mais des Arabes, individuellement, peuvent vous atteindre... »

Saddam Hussein, ici, ne s'embarrasse pas de précautions diplomatiques pour menacer les États-Unis d'une vague d'attentats terroristes. Pour bien se faire comprendre, il ajoute :

– Vous pouvez venir en Irak avec des missiles et des avions mais ne nous poussez pas jusqu'au point où nous abandonnerons toute précaution. Quand nous sentons que vous cherchez à faire injure à notre orgueil et à priver les Irakiens de la chance d'obtenir un haut niveau de vie, là nous cessons d'être prudents et la mort sera notre choix. Nous ne prendrons pas de précautions même si vous lancez cent missiles pour chaque missile que nous tirerons. Parce que sans dignité la vie n'a plus de valeur...

Saddam Hussein vient d'avertir le Président Bush qu'il est prêt à une guerre contre l'Amérique, même s'il sait qu'il la perdra probablement.

– Il n'est pas raisonnable, enchaîne-t-il, de demander à notre peuple de verser des rivières de sang pendant huit ans et puis de lui dire : vous devez maintenant accepter l'agression du Koweït, des Émirats arabes unis, des États-Unis ou encore d'Israël. Nous ne mettons pas tous ces pays dans le même panier. D'abord, nous sommes blessés et bouleversés que pareil désaccord puisse intervenir entre nous et le Koweït ou les Émirats arabes. La solution doit être trouvée dans un cadre arabe et à travers des relations bilatérales directes. Nous ne rangeons pas l'Amérique parmi nos ennemis. Nous la mettons là où nous voulons que soient nos amis et nous essayons d'être amis avec vous. Mais des déclarations américaines à répétition l'an dernier rendirent patent que l'Amérique, elle, ne nous tenait pas pour amis. Bon, les Américains sont libres de vouloir qu'il en soit ainsi. Quand nous recherchons l'amitié de quelqu'un, nous voulons l'honneur, la liberté et le droit de choisir.

Nous voulons traiter selon notre rang, comme nous traitons avec autrui selon son rang. Nous considérons les intérêts d'autrui tout en tenant compte des nôtres. Et nous attendons d'autrui qu'il prenne nos intérêts en considération en même temps qu'il traite les siens. Que faut-il penser de la convocation du ministre de la Guerre sioniste, ces jours-ci, aux États-Unis ? Que signifient ces déclarations enflammées d'Israël, ces derniers jours, et ces rumeurs de guerre pressantes comme jamais ?

Probablement toujours habité par le traumatisme du bombardement de la centrale nucléaire d'Osirak, Saddam Hussein n'hésite pas à montrer devant l'ambassadeur sa crainte d'une attaque imminente d'Israël, peut-être avec le soutien américain.

– Nous ne voulons pas la guerre parce que nous savons d'expérience ce que la guerre signifie. Mais ne nous poussez pas à considérer la guerre comme l'unique solution pour vivre dans la dignité et permettre à notre peuple de jouir d'un niveau de vie décent.

« Nous savons que les États-Unis ont l'arme nucléaire. Mais nous sommes décidés à vivre en hommes libres ou à mourir jusqu'au dernier. Il n'y a pas un seul honnête homme au monde qui, j'en suis sûr, ne comprendrait ce sentiment. Nous ne vous demandons pas de régler nos problèmes. J'ai déjà dit que les problèmes arabes devaient être réglés entre Arabes. Mais n'encouragez personne à engager une action incompatible avec son véritable rang. Je ne pense pas que quiconque perdrait à être l'ami de l'Irak. A mes yeux, le Président américain n'a pas fait d'erreurs en ce qui concerne les Arabes, bien que sa décision de geler le dialogue avec l'OLP soit erronée. Mais il semble bien qu'elle fut prise pour apaiser le lobby sioniste ou comme un élément de stratégie pour calmer la colère sioniste, avant d'entreprendre de renouer des contacts avec l'OLP. J'espère que cette dernière analyse est la bonne. Quoi qu'il en soit, nous continuerons à dire que c'était une décision erronée. Vous prodiguez maints apaisements à l'usurpateur[1]: économiquement, politiquement et militairement, ainsi que dans les médias. Quand le temps viendra-t-il où, pour trois apaisements à l'usurpateur, vous reconnaîtrez une seule fois les mérites des Arabes? Quand l'humanité aura-t-elle la chance de pouvoir compter sur une juste solution américaine qui mettrait en balance les droits de deux cents millions d'êtres humains avec ceux de trois millions de juifs? Nous voulons l'amitié, mais nous ne courrons pas après. Nous repoussons toute agression de quiconque. Si l'on nous veut du mal, nous résisterons.

« Tel est notre droit, que le préjudice vienne de l'Amérique, des Émirats arabes, du Koweït ou d'Israël. Mais je ne mets pas tous ces États sur le même plan. Israël a volé la terre des Arabes, avec l'aide de l'Amérique. Mais les Émirats et le Koweït ne soutiennent

1. Israël.

pas Israël. Quoi qu'il en soit, ce sont des Arabes. Mais quand ils essaient d'affaiblir l'Irak, ils aident l'ennemi. Et l'Irak a alors le droit de se défendre... »

A ce stade de l'entretien, pour donner davantage de poids à son plaidoyer, Saddam Hussein va évoquer deux précédents qui devraient faire réfléchir l'Amérique.

– En 1974, je rencontrai Idriss, le fils de Mullah Mustapha Barzani [1]. Il était assis dans le même siège où vous êtes maintenant. Il me demanda de différer l'entrée en vigueur de l'autonomie du Kurdistan irakien, qui avait fait l'objet d'un accord en mars 1970. Je lui répondis que nous étions résolus à remplir nos obligations, mais qu'il devait aussi respecter sa parole. Sentant que Idriss Barzani avait des intentions hostiles, j'ai ajouté : présentez mes respects à votre père et rapportez-lui que Saddam Hussein a bien dit ce qui va suivre. Je lui expliquai alors, chiffres à l'appui, le rapport des forces, de la même façon que je l'expliquerai aux Iraniens dans mes lettres ouvertes durant la guerre. Je terminais cette conversation en me résumant d'une phrase : Si nous devons combattre, nous vaincrons. Savez-vous pourquoi? Je lui faisais valoir toutes les raisons, plus une raison politique : votre sort à vous [2] dépend de notre différend avec le shah d'Iran [3]. L'origine du conflit avec l'Iran vient de la revendication de ce pays sur

1. Le dernier leader kurde.
2. Les Kurdes, en 1974.
3. Les Kurdes étaient financés par l'Iran.

une moitié du Chatt al-Arab. Si nous pouvions conserver l'Irak dans sa totalité, y compris le Chatt al-Arab, nous ne ferions nulle concession. Mais si nous avions à choisir entre la moitié du Chatt al-Arab ou l'intégrité actuelle de l'Irak, alors nous renoncerions au Chatt al-Arab pour conserver l'Irak dans les limites que nous lui voulons. Nous espérons que vous n'allez pas jeter de l'huile sur le feu, au risque de nous remettre en mémoire ce dernier choix qui alors s'ouvrirait à nous vis-à-vis de l'Iran.

« Après cet entretien, nous abandonnâmes la moitié du Chatt al-Arab à l'Iran [1]. Barzani mourut, fut enterré hors d'Irak, et perdit sa guerre. »

Le maître de l'Irak dit alors, s'adressant directement à l'ambassadeur américain :

– Nous espérons que nous ne serons pas de nouveau poussés à ces extrémités. Le seul problème en suspens avec l'Iran est le Chatt al-Arab. Confrontés à un choix entre l'Irak et sa fierté légitime d'un côté et le Chatt al-Arab de l'autre, nous négocierons toujours avec la même sagesse dont nous fîmes preuve en 1975. Et de la même façon que Barzani gâcha une occasion historique, d'autres perdront également leur chance.

Saddam Hussein conclut cet exposé historique d'un ton net :

– Quant au Président Bush, j'espère qu'il lira ceci lui-même et qu'il ne le laissera pas tomber entre les mains d'un gang au Départe-

1. Par les accords d'Alger de 1975.

ment d'État, dont j'exclus le secrétaire d'État James Baker et John Kelly parce que je le connais, pour avoir échangé des vues avec lui.

L'ambassadeur américain peut enfin répondre :

– Je vous remercie, monsieur le Président, et c'est un grand plaisir pour un diplomate de vous rencontrer et de parler directement avec vous. J'ai bien compris votre message. Nous avons étudié l'Histoire à l'école. On nous a appris à dire : " La liberté ou la mort. "

« Je pense que vous savez fort bien que notre peuple a fait l'expérience des colonialistes.

« Monsieur le Président, vous avez mentionné nombre de points sur lesquels je ne peux me prononcer au nom de mon gouvernement. Mais avec votre permission, je commenterai deux points. Vous avez parlé d'amitié et je crois que c'était tout aussi clair dans les lettres que notre Président vous a adressées à l'occasion de votre fête nationale...

Saddam Hussein l'interrompt :

– Sa lettre était amicale et ses salutations concordaient avec notre considération et nos propres salutations.

L'ambassadeur renchérit :

– Comme vous le savez, il a donné instruction à l'Administration américaine de rejeter la proposition de mettre en œuvre des sanctions économiques contre l'Irak.

– Mais nous ne pouvons plus rien acheter en Amérique ! Seulement du blé. Chaque fois que nous voulons acquérir quelque chose, on nous répond que c'est interdit. Je crains qu'un de ces jours vous ne nous disiez même : vous allez faire de la poudre à canon avec le blé !

L'ambassadeur s'empresse de le rassurer :

– J'ai instruction personnelle du Président de rechercher de meilleures relations avec l'Irak.

– Oui, mais comment? Nous aussi nous partageons ce désir. Mais des choses viennent sans cesse le contrarier.

– Plus nous dialoguerons, moins ce sera vrai. Vous avez mentionné l'article publié par l'Agence américaine d'information [1] qui était en effet regrettable. Des excuses formelles ont été présentées.

Saddam Hussein s'incline vers elle, charmeur.

– Votre remarque est généreuse. Nous sommes des Arabes. Quand quelqu'un reconnaît : je suis désolé, je me suis trompé, cela nous suffit. Mais la campagne des médias continue. On multiplie les histoires à notre sujet. Si elles étaient vraies, personne ne s'en formaliserait. Nous déduisons de cette insistance qu'il y a bel et bien volonté de nous discréditer.

L'ambassadeur abonde dans son sens.

– J'ai vu le programme de Diane Sawyer sur ABC. Il était de piètre qualité et dépourvu d'objectivité. C'est l'image même de ce qui

1. Saddam Hussein fait référence à l'émission *La Voix de l'Amérique* diffusée le 15 février 1990.

arrive avec les médias américains, y compris aux politiciens américains. Telles sont les méthodes qu'emploient les médias occidentaux. Je suis heureuse que vous ajoutiez votre voix à celles des diplomates qui affrontent bravement les médias. Votre apparition sur les médias, serait-ce pour cinq minutes, nous aiderait à faire comprendre au peuple américain la position de l'Irak. Cela améliorerait la compréhension mutuelle. Si le Président américain avait le contrôle des médias, sa tâche en serait étonnamment facilitée.

« Monsieur le Président, non seulement je tiens à vous dire que le Président Bush souhaite de meilleures et plus amples relations avec l'Irak, mais qu'il veut aussi que l'Irak contribue à la paix et la prospérité du Moyen-Orient. Le Président Bush est un homme intelligent. Il ne va pas déclarer la guerre économique à l'Irak. (L'Ambassadeur donne là un véritable feu vert à Saddam Hussein.) Vous avez raison. Il est vrai, comme vous l'avez souligné, que nous ne voulons pas des prix plus élevés pour le pétrole. Mais je vous demanderai d'examiner la possibilité de ne pas demander un prix exagéré. »

Le président se fait conciliant :

– Nous ne voulons pas non plus des prix trop élevés et je vous rappelle qu'en 1974 je donnai à Tarek Aziz l'idée d'un article où il critiqua la politique des prix chers. C'était le premier article arabe à exprimer ce point de vue.

Tarek Aziz prend alors pour la première fois la parole :

– Notre politique à l'OPEP s'oppose aux variations soudaines des prix du pétrole.

Saddam Hussein :

– Vingt-cinq dollars le baril n'est pas un prix élevé.

L'ambassadeur :

– Beaucoup d'Américains dans nos régions pétrolières aimeraient voir les prix dépasser les 25 dollars !

(Nouveau feu vert : Saddam Hussein peut croire que l'ambassadeur et, au-delà, le président approuvent ses revendications pour des prix plus élevés.)

Saddam Hussein :

– Le prix, à une époque, est tombé à 12 dollars le baril, et la perte de 6-7 milliards de dollars est un désastre pour le modeste budget irakien.

L'ambassadeur approuve de la tête :

– Je le comprends sans mal. J'ai vécu ici des années. J'admire vos efforts extraordinaires pour reconstruire votre pays. Je sais que vous avez besoin de capitaux. Nous comprenons, nous sommes d'avis que vous puissiez avoir la possibilité de reconstruire votre pays. Mais nous n'avons pas d'opinion sur les conflits interarabes, comme votre différend frontalier avec le Koweït. J'étais en poste au Koweït à la fin des années soixante. Nos instructions d'alors étaient de ne pas exprimer d'opinion sur ce problème, qui ne concernait pas l'Amérique. James Baker a donné ordre à notre porte-parole officiel de réaffirmer cette instruction. Nous espérons que vous réglerez ce problème par toutes les méthodes appropriées, via Klibi[1] ou via le président Moubarak. Tout ce que nous souhaitons est que vous apportiez une solution rapide. A ce propos, puis-je attirer votre attention sur la façon dont nous appréhendons cette question ?

(Autre feu vert : le différend frontalier Irak-Koweït n'est pas notre affaire.)

« Mon sentiment après vingt-cinq ans de service dans le Golfe est que votre objectif doit recueillir un large soutien de vos frères arabes. Passons au pétrole. Vous, monsieur le Président, vous êtes battu à travers une guerre horrible et difficile.

« A vrai dire, nous nous bornons à constater que vous avez déployé massivement des troupes dans le Sud. Normalement, ce n'est pas notre problème. Mais quand ce fait intervient dans le contexte que vous-même avez évoqué lors de votre fête nationale ; quand, de plus, nous prenons en compte le point de vue irakien selon lequel les mesures adoptées par les Émirats et le Koweït sont, en dernière analyse, assimilables à une agression militaire contre l'Irak, alors il me paraît fondé de nous sentir concernés. Et, en conséquence, j'ai reçu instruction de vous demander, dans un esprit d'amitié et non de confrontation, quelles sont vos intentions.

« Je vous décris simplement le souci de mon gouvernement. Et loin de moi l'idée que

1. Secrétaire général de la Ligue arabe.

la situation est simple. Mais notre intérêt, lui, est simple. »

Le président :

– Nous ne demandons pas aux gens de ne pas se sentir concernés quand la paix est en jeu. C'est un sentiment humain et noble que nous partageons tous. Il est normal qu'une superpuissance comme vous se sente impliquée. Mais ce que nous demandons est que vous n'exprimiez pas vos propres préoccupations dans un sens qui laisserait penser à un agresseur qu'il peut obtenir votre soutien pour son agression. Nous voulons trouver une juste solution qui reconnaisse nos droits, sans priver les autres des leurs. Mais en même temps, nous voulons qu'ils sachent que notre patience est à bout en ce qui touche à leurs actions, qui portent atteinte jusqu'au lait que boivent nos enfants, aux pensions des veuves qui ont perdu leur mari à la guerre, ainsi qu'aux pensions des orphelins qui ont perdu leurs parents. En tant que nation, nous avons droit à la prospérité. Nous avons perdu tant d'opportunités, du fait de la guerre, et les autres devraient estimer à sa juste valeur le rôle qu'a joué l'Irak dans leur protection.

A cet instant, Saddam Hussein désigne du doigt son interprète :

– Même cet Irakien est plein d'amertume à ce sujet, comme tous ses frères. Nous ne sommes pas des agresseurs mais nous n'acceptons pas davantage l'agression. Nous avons envoyé des émissaires et des lettres manuscrites. Nous avons tout essayé. Nous avons demandé au serviteur des deux Lieux Saints [1] de réunir un sommet à quatre, mais il a suggéré une simple réunion des ministres du Pétrole. Nous avons accepté. Comme vous le savez, la réunion eut lieu à Djeddah. Ils sont arrivés à un accord qui n'exprimait pas ce que nous voulions, mais nous y avons souscrit.

« Deux jours seulement après cette réunion, le ministre koweïtien du Pétrole fit une déclaration en contradiction avec cet accord. Nous avons également discuté du problème lors du sommet de Bagdad. J'ai dit aux rois et présidents arabes que quelques-uns de nos frères mènent une guerre économique contre nous ; que toutes les guerres ne recourent pas forcément aux armes mais qu'elles n'en ont pas moins à nos yeux le caractère d'une action militaire dirigée contre nous. Car si le potentiel de notre armée s'en trouve diminué, et si l'Iran reprenait les hostilités, ce pays pourrait alors parvenir à ses fins. Et si nous diminuons le niveau de notre défense, Israël pourrait s'en trouver encouragé à nous attaquer. J'ai dit tout cela devant les rois et les présidents arabes. Je me suis juste gardé de mentionner nommément le Koweït et les Émirats, car ils étaient mes hôtes. Auparavant, je leur avais envoyé des émissaires pour bien leur rappeler que notre guerre avait aussi contribué à les défendre. En conséquence, l'aide qu'ils nous accordèrent alors ne devrait pas être considérée comme une dette. Nous fîmes plus que ce

1. Le roi Fahd.

que les États-Unis auraient fait contre un agresseur attentant à leurs intérêts.

« J'évoquai ce sujet avec bien d'autres États arabes. J'expliquai la situation à mon frère le roi Fahd plusieurs fois, par des émissaires ou au téléphone. Je parlai avec mon frère le roi Hussein et avec le cheik Zayed [1], après la fin du sommet. J'accompagnai le cheik à son avion quand il quitta Mossoul. Il me dit : " Attendez que je sois rentré. " Mais à peine était-il arrivé que les déclarations furent de mauvais augure. Pas de sa bouche, non, mais de la bouche de son ministre du Pétrole. Après l'accord de Djeddah, nous reçûmes également des renseignements selon lesquels ils parlaient de s'en tenir aux accords deux mois seulement et qu'ensuite ils changeraient de politique. Dites-moi : si le Président américain se trouvait dans ma situation, que ferait-il ? Il m'était difficile d'évoquer ces sujets en public. Mais nous devons dire au peuple irakien, confronté à de graves difficultés économiques, qui est responsable. »

L'ambassadeur, devant ces propos sévères, préfère changer de sujet.

– J'ai passé quatre jours magnifiques en Égypte.

Saddam Hussein répond :

– Le peuple égyptien est ouvert, bon, et c'est un très vieux peuple. Les États qui ont du pétrole sont supposés aider le peuple égyptien, mais ils sont mesquins au-delà de tout.

1. Président de la Fédération des Émirats unis.

C'est triste à admettre, mais certains sont détestés par les Arabes, pour leur avarice.

L'ambassadeur :

– Monsieur le Président, il nous serait précieux que vous puissiez nous donner une évaluation des efforts consentis par vos frères arabes. Ont-ils été jusqu'au bout de leur effort ?

Le président :

– A ce sujet, nous sommes d'accord avec le président Moubarak pour que le Premier ministre du Koweït rencontre notre président du Conseil supérieur de la révolution en Arabie Saoudite, car les Saoudiens ont noué des contacts avec nous, avec l'aide du président Moubarak. Ce dernier vient de me téléphoner pour me dire que les Koweïtiens ont accepté sa suggestion.

L'ambassadeur, soulagé :

– Toutes mes félicitations.

Le président :

– Une réunion protocolaire se tiendra en Arabie Saoudite. Puis elle se transportera à Bagdad pour des discussions approfondies directement entre le Koweït et l'Irak. Nous espérons que nous parviendrons à un résultat. Nous espérons que les vues à long terme et les intérêts profonds seront plus forts que l'avarice koweïtienne.

L'ambassadeur :

– Puis-je vous demander quand pensez-vous que le cheik Saad viendra à Bagdad ?

Le président :

– Je suppose qu'il viendra samedi ou

lundi [1]. J'ai dit à mon frère Moubarak que l'accord devrait avoir lieu à Bagdad samedi ou dimanche. Vous n'ignorez pas que les visites de mon frère Moubarak ont toujours été d'heureux présages.

L'ambassadeur :

– C'est une bonne nouvelle. Félicitations.

Saddam Hussein ne va plus cacher son jeu :

– Mon frère le président Moubarak m'a rapporté qu'ils avaient peur [2]. Ils ont dit que mes troupes étaient à vingt kilomètres seulement au nord de la ligne de la Ligue arabe [3]. Je lui ai répondu que quelles que soient ces troupes, simple police, gardes frontières ou armée, et quel qu'en soit le nombre, et quelle que soit leur tâche, il pouvait donner aux Koweïtiens notre parole que nous n'entreprendrions rien jusqu'à ce que nous les rencontrions. Quand nous nous rencontrons, que nous constatons qu'il y a de l'espoir, rien ne risque d'arriver. Mais si nous ne sommes pas capables de trouver une solution, alors il sera normal que l'Irak n'accepte pas de périr, même si la sagesse doit prévaloir sur toute autre considération. Voici de bonnes nouvelles.

Tarek Aziz s'exclame :

– Vous avez un scoop!

De son entretien qui est sur le point de se terminer, April Glaspie ne retiendra que cette conclusion optimiste, oubliant toutes les

1. 28 au 30 juillet.
2. Sous-entendu les Koweïtiens.
3. La frontière koweïtienne.

menaces et les mises en garde dont Saddam Hussein a émaillé son discours depuis qu'elle se trouve dans le bureau du chef suprême de l'Irak. En prenant congé, l'ambassadeur américain va assurer une dernière fois Saddam Hussein que son message parviendra à son destinataire :

– J'ai prévu d'aller aux USA lundi prochain (30 juillet). J'espère rencontrer le Président Bush à Washington au cours de la semaine prochaine.

Le 26 juillet, plus de trente mille Irakiens stationnent sur la frontière du Koweït.

Le 27, la CIA transmet à la Maison-Blanche des photos prises par satellite et qui révèlent des concentrations de plus en plus massives d'hommes et de matériel. Washington prévient le Koweït, l'Égypte et l'Arabie Saoudite. Mais, dans leurs réponses aux responsables américains, les dirigeants arabes écartent l'hypothèse d'une invasion et évoquent un « chantage irakien » pour obtenir deux îles koweïtiennes situées dans le Golfe et un champ de pétrole contesté. Le Département d'État et le Conseil national de sécurité de la Maison-Blanche partagent cette analyse.

Le 28 juillet, les rapports élaborés par la CIA se font encore plus précis et plus alarmants. Saddam a fait mettre en place d'importantes lignes d'approvisionnement destinées à ses troupes placées sur la frontière. Un grand nombre de camions fournissant un support logistique ont notamment été repérés. William Webster – directeur de l'Agence et qui a entre les mains les photos révélant ce fait – est convaincu qu'une telle logistique ne serait pas nécessaire s'il s'agissait seulement d'une opération d'intimidation.

De nouvelles informations parviennent pratiquement heure par heure à la CIA. Elles sont collectées pour la plupart par les satellites espions de la National Security Agency.

Cette agence, dont les effectifs et les budgets sont beaucoup plus importants que ceux de la CIA, est le centre informatique le plus important et le plus perfectionné du monde. Établi à Fort Meade, non loin de Washington, au milieu d'une forêt, il est divisé en deux parties, comme le cerveau humain : un hémisphère droit baptisé « Carillon » et un hémisphère gauche portant le nom de code de « Loadstone ». Ses ordinateurs géants sont capables de traiter de 150 à 200 millions de mots à la seconde. D'autres peuvent transférer 320 millions de mots à la seconde, soit l'équivalent de 2 500 livres de 300 pages. La NSA, grâce à ses centres d'écoute disséminés à travers le monde et à ses satellites espions, peut capter les conversations les plus secrètes, distinguer le moindre déplacement de troupes en n'importe quel point du globe. La NSA, ses analystes, ses mathématiciens et ses décodeurs, tous issus des meilleures universités américaines, peuvent même recueillir le détail de conversations se déroulant dans une pièce, en mesurant électroniquement les vibrations des vitres grâce à un petit faisceau invisible.

Le 28 juillet toujours, Yasser Arafat rencontre Saddam Hussein à Bagdad. Le président irakien lui demande d'aller au Koweït. « Discutez avec l'émir et dites-lui que s'il me donne les 10 milliards de dollars que je réclame pour avoir utilisé les puits de pétrole de Roumaylah qui sont sur la frontière, je réduirai mes troupes. »

Saddam ne précise pas à Arafat qu'il n'a aucune intention d'envahir le Koweït.

Le 29 juillet, le chef de l'OLP arrive à Koweït City. Il patiente de longues heures avant d'être reçu par l'émir. Arafat commence à exposer la proposition irakienne quand l'émir Jaber l'interrompt sèchement : « Je ne veux pas discuter ce sujet. Dans quarante-huit heures je vais à Djeddah pour un sommet avec l'Irak. Parlons plutôt du problème de l'émigration des juifs soviétiques en Israël. »

Le ton de l'émir est brutal, méprisant, mais malgré l'humiliation ressentie, Arafat ne peut rien dire. Le Koweït est un des principaux bailleurs de fonds de l'organisation palestinienne. A la fin de l'entretien, il tentera de revenir sur la suggestion de Saddam. L'émir le coupe : « Je vous l'ai dit clairement. Je ne veux pas en parler. »

Arafat rencontre ensuite le prince héritier, le cheikh Saad. L'entretien entre les deux hommes est plus détendu.

– Vous devriez payer ces 10 milliards, dit le chef de l'OLP. Les Irakiens sont un danger. Vous savez, je suis du Koweït, j'y ai vécu plusieurs années. Essayez de résoudre ce problème.

Le prince Saad répond :

– Je vais partir pour Djeddah.

– Surtout n'y allez pas les mains vides. Proposez une solution.

Le prince a un geste las.

– Hélas, la décision finale n'est pas entre mes mains.

L'interlocuteur du chef de l'OLP paraît profondément inquiet de la tournure que prennent les événements.

– Pourriez-vous faire face à une confrontation militaire ? lui demande Arafat.

Saad secoue négativement la tête :

– Non, nous ne sommes pas aussi forts que l'Irak. Nous n'avons pas l'intention de nous battre contre eux.

Le 30 juillet, la CIA est en mesure de dresser l'état des forces irakiennes massées près du Koweït : 100 000 hommes dont des troupes d'élite de la Garde républicaine, 300 tanks et 300 pièces d'artillerie lourde. A Washington, c'est toujours le silence. Il sera rompu le lendemain. Le 31, John Kelly pénètre au Capitole, dans le Rayburn Building, pour témoigner devant le « sous-comité du Moyen-Orient » de la Chambre des représentants. Après son exposé il répond, sans se départir de son calme, aux questions qui lui sont posées, notamment par le représentant Lee Hamilton.

– J'ai lu dans la presse une citation indirecte, dans laquelle le ministre de la Défense, Richard Cheney, aurait déclaré que l'engagement des États-Unis était d'aller au Koweït, d'assurer la défense du Koweït s'il était attaqué : était-ce la déclaration exacte? Monsieur Kelly pourrait-il clarifier?

– Je ne connais pas la citation à laquelle vous faites allusion, mais je suis confiant dans la position de l'Administration sur ce sujet. Nous n'avons pas de traité de défense avec les États du Golfe. C'est clair. Nous soutenons l'indépendance et la sécurité des États amis dans la région. Depuis l'Administration Truman, nous avons maintenu des forces navales dans cette zone parce que sa stabilité est de notre intérêt. Nous appelons à une solution pacifique de tous les différends et nous croyons que la souveraineté de chaque État dans le Golfe doit être respectée.

– Si, par exemple, l'Irak franchissait la frontière du Koweït, quelle qu'en soit la raison, quelle serait notre position quant à l'utilisation des forces américaines?

– C'est le genre d'hypothèse dans lequel je ne peux pas entrer. Qu'il suffise de dire que nous serions extrêmement concernés, mais je ne peux pas m'aventurer dans le domaine des “ si ”.

– En une telle circonstance, est-il correct, cependant, de dire que nous n'avons pas un traité, un engagement, qui nous obligerait à engager des forces américaines?

– C'est exact!

L'intervention de John Kelly fut diffusée à la radio par le « World Service » de la BBC et écoutée à Bagdad. Dans ces heures cruciales où les événements oscillaient entre la paix et la guerre, Kelly venait de transmettre à Saddam Hussein un signal qui pouvait se traduire par une garantie de non-intervention des États-Unis.

Il n'y avait qu'un seul exemple, dans l'histoire récente de la diplomatie américaine, d'un faux pas aussi grave. Il s'agissait de la déclaration du secrétaire d'État Dean Acheson, qui avait affirmé devant le Congrès, en 1950, que « la Corée du Sud ne faisait pas partie du périmètre de défense des États-Unis ». Peu après la Corée du Nord envahissait le Sud.

Le même jour, trois officiels irakiens quittaient Bagdad pour Djeddah où ils devaient rencontrer une délégation koweïtienne et poursuivre les négociations. Cette réunion constituait l'ultime fil, ténu, reliant le monde à une « logique de paix ». Un fil sur le point de se briser. Trois heures seulement avant le début de la rencontre, l'émir fit savoir qu'il n'effectuerait pas le voyage et serait remplacé par le prince héritier.

Cette nouvelle fut ressentie par Saddam Hussein comme une « insulte mortelle ». Il décida à son tour de ne pas se rendre à Djeddah et de se faire remplacer par Ezzat Ibrahim, le numéro 2 du parti Baas.

CHAPITRE V

La conférence de Djeddah fut un moment confus et dramatique qui déboucha sur la guerre parce que personne ne voulut ou ne sut l'éviter.

Les deux délégations arrivées dans la capitale saoudienne se retrouvèrent le 31 juillet, à dix-huit heures, face à face, dans une salle de réunion du centre de conférences, un bâtiment moderne.

Les représentants koweïtiens étaient le prince héritier et Premier ministre, Saad, accompagné du ministre des Affaires étrangères et de son collègue de la Justice, celui-là même qui avait formulé des propos si lucides, lors de la réunion du cabinet koweïtien tenue treize jours plus tôt.

Les négociateurs irakiens – outre le vice-président du Commandement de la révolution, Ezzat Ibrahim, également numéro 2 du parti Baas – étaient Saddoum Hammadi, le vice-Premier ministre, et Ali Hassan Al-Majid, cousin de Saddam Hussein qui allait être nommé quelques semaines plus tard gouverneur du Koweït.

Les Koweïtiens et les Irakiens restèrent à Djeddah jusqu'au lendemain 1er août, mais en réalité les véritables négociations ne durèrent au total pas plus d'une heure et demie. De dix-huit heures à dix-neuf heures trente, le premier soir. La séance fut alors levée et tous les participants partirent prier à la mosquée.

Le prince héritier Abdallah, deuxième personnage, par le rang et l'importance, du royaume saoudien, avait accueilli les deux délégations mais quitta la salle dès le début de la réunion. Les Irakiens furent les premiers à prendre la parole. Ezzat Ibrahim lut un texte qui reprenait une à une toutes les accusations à l'encontre du Koweït. Ses propos ne contenaient aucune menace précise. Ibrahim lisait son texte, lentement, posément, sans s'en écarter même d'un mot. Son vocabulaire était étrange, ponctué de mots pieux. « On éprouvait, confia l'un des Koweïtiens présents, un curieux sentiment. C'était un langage de puritain, quelque chose de semblable au sermon du dimanche à la mosquée. »

Les Koweïtiens furent d'abord déroutés par cette entrée en matière puis Saad, le prince héritier de l'émirat, entreprit de réfuter calmement, un à un, page par page, les griefs exposés. Le ton n'était pas alors extrêmement tendu, mais dans les deux camps chacun commençait déjà à envisager que la réunion de Djeddah se termine sur un échec.

Pour le numéro 2 de la délégation irakienne, Saddoum Hammadi, « ce fut une rencontre décevante alors que nous avions fondé de grands espoirs. Nous pensions que c'était peut-être la dernière chance et nous nous attendions à ce que les Koweïtiens viennent accompagnés d'un plan, d'un projet, de solutions. Nous les avions contactés, nous leur avions expliqué clairement. En fait, ils n'avaient rien de concret à nous présenter, excepté des arguments pour se défendre et expliquer qu'ils n'avaient pas fait ce dont nous les accusions ».

Les discussions, selon le prince héritier, portèrent « sur le pétrole. Les Irakiens nous dirent aussi que les Koweïtiens avaient commencé d'installer une force de police à l'intérieur du territoire irakien. Ils déclarèrent que le Koweït avait changé de politique et que cette nouvelle politique mettait en danger l'émirat. J'ai répondu à toutes leurs questions et remarques de façon très directe ».

A un moment les deux principaux négociateurs passèrent dans une pièce voisine et discutèrent en tête à tête pendant une dizaine de minutes. Puis, Ezzat Ibrahim, le chef de la délégation irakienne, demanda au prince Saad : « Que penseriez-vous si je demandais aux membres de ma délégation de venir entendre ce que vous avez à me dire ? » Le Koweïtien accepta. L'ambiance dépourvue d'animosité contrastait avec la gravité des enjeux.

Les échanges commencèrent à se tendre quand les questions financières furent abordées. Bien qu'Irakiens et Koweïtiens nient aujourd'hui que ce sujet ait été discuté, il le fut, longuement, âprement. Ezzat Ibrahim évoqua la demande de 10 milliards de dollars et ajouta que l'Irak se satisferait de prêts si un don n'était pas possible. Après de longs échanges, le prince héritier accepta le principe d'un prêt de 9 milliards de dollars. Ce refus d'accorder 1 milliard de dollars supplémentaire fut ressenti par les Irakiens comme une volonté d'humiliation. Ibrahim répliqua : « Je n'ai pas l'autorisation du président Saddam Hussein d'accepter moins de 10 milliards. »

Après l'ajournement de la séance, à dix-neuf heures trente, et les prières à la mosquée, la délégation koweïtienne revint à son hôtel et se réunit, en attendant le dîner donné par le roi Fahd d'Arabie Saoudite. Le Koweïtien Abdullah Bishara, secrétaire du Conseil de coopération du Golfe, assista à cette discussion. « Nous suggérions au Premier ministre et prince héritier qu'il avance une proposition pour que les deux parties se mettent d'accord sur quatre points : d'abord la fin de toute propagande hostile. Les médias, notamment en Irak, devaient mettre un terme à leurs attaques ; ensuite, la démobilisation de toutes les forces stationnées sur la frontière entre les deux pays ; troisièmement, et c'est l'essentiel en diplomatie, prendre des mesures pour instaurer une confiance mutuelle, à travers un langage, des visites, etc. Enfin, arriver à un accord sur la rencontre suivante. »

Il avait été décidé que les négociations se poursuivraient à Bagdad et ceci avait certainement conforté les Koweïtiens dans leur sentiment que, dans l'immédiat, aucune menace ne serait mise à exécution. Les quatre propositions arrêtées par la délégation koweïtienne avaient quelque chose de surréaliste face à l'urgence de la situation et à l'inquiétude qui devenait de plus en plus perceptible à travers le monde.

Les marchés pétroliers mondiaux commençaient à réagir devant l'énorme puissance militaire irakienne massée sur la frontière. Ce même jour, alors que les deux délégations se préparaient à gagner le palais royal où les attendait le roi Fahd, les prix du baril avaient augmenté de 45 cents (2,4 francs) et le Brent, le pétrole de la mer du Nord, cotait à près de 20 dollars le baril.

A vingt et une heures trente, le dîner fut servi. Le roi Fahd qui était en compagnie d'Hussein de Jordanie, arrivé quelques heures plus tôt, avait placé à sa droite le prince héritier du Koweït et à sa gauche Ezzat Ibrahim. Juste avant de passer à table, il avait été informé de l'état des négociations et notamment du refus koweïtien d'aller au-delà d'une contribution de 9 milliards de dollars.

L'ambiance était lourde, et le souverain

saoudien s'efforçait de détendre l'atmosphère en amenant la conversation sur les joies offertes par l'élevage et la reproduction de pur-sang arabes. Mais les discussions tournaient court et les efforts pathétiques du roi Fahd ressemblaient à un long monologue enjoué. Les Irakiens restaient silencieux et les Koweïtiens paraissaient à la fois abattus et absents. En fait les deux camps masquaient mal leur déception, même si l'un des négociateurs koweïtiens affirme : « Les Irakiens, au fond d'eux-mêmes, durant ce dîner, devaient être heureux. Ils arrivaient au terme d'une rencontre qui s'achevait sans que rien ne soit conclu. C'est ce qu'ils cherchaient. »

Vers la fin du repas, le roi Fahd se tourna avec un large sourire vers ses hôtes et annonça que l'Arabie Saoudite débourserait le milliard de dollars en litige, « un don de mon pays à l'Irak qui n'est assorti d'aucune condition ».

Les Irakiens remercièrent chaleureusement le souverain qui peu après se leva de table pour regagner ses appartements. Il était alors un peu plus de vingt-trois heures trente. Fahd pensait, par ce geste, avoir désamorcé la tension entre les deux délégations et cet optimisme était partagé par le roi Hussein qui laissa à son tour Irakiens et Koweïtiens en tête à tête.

Le prince Saad dit alors à Ezzat Ibrahim :

– Avant que nous réglions tous les détails pour ces 9 milliards de dollars de prêt, il y a encore un problème qu'il faut aborder. Nous devons définir le tracé définitif de nos frontières. Nous pouvons le faire maintenant, au cours de cette réunion, ensuite l'argent est à vous.

Ibrahim, devenu furieux, accusa les Koweïtiens de mauvaise foi et demanda à Saad :

– Pourquoi cette question du différend frontalier n'a-t-elle pas été évoquée dès le début de la rencontre?

Le prince répondit par une étrange formulation :

– Nous n'avions pas l'ordre de l'émir d'aborder ce problème au commencement de nos discussions.

Les échanges devinrent alors plus violents. Le prince Saad assura que le Koweït avait reçu l'assurance du gouvernement britannique que l'Irak n'attaquerait pas. C'était probablement là une remarque malheureuse et provocante. Ezzat Ibrahim lui lança peu après :

– Nous savons très bien comment obtenir de vous et des Saoudiens l'argent dont nous avons besoin.

Le prince koweïtien et l'adjoint de Saddam Hussein étaient alors debout, face à face, la voix altérée par la colère.

– Ne nous menacez pas, lui répondit Saad. Le Koweït a de très puissants amis. (Il devait certainement penser aux États-Unis et à la Grande-Bretagne.) Nous aussi nous avons des alliés. Vous serez forcés de payer tout l'argent que vous nous devez!

Ces propos menaçants furent les derniers

mots échangés. Les deux délégations se quittèrent, pratiquement sans se saluer, et regagnèrent leur hôtel. Il était près d'une heure trente du matin et le roi Fahd dormait depuis longtemps.

Le 1er août, vers dix heures, Saddoum Hammadi reçut un appel dans sa chambre d'hôtel. Il émanait du ministre-adjoint des Affaires étrangères koweïtien. Il proposait qu'un communiqué commun, approuvé par les deux délégations, soit publié. Hammadi écouta attentivement les termes du texte suggéré par les Koweïtiens. Il contenait une mention qui le fit sursauter. Les représentants de l'émirat voulaient qu'il soit mentionné que les « discussions avaient fait des progrès ». Saddoum Hammadi répondit à son interlocuteur qu'il avait besoin d'en discuter d'abord avec le chef de sa délégation.

Il gagna la chambre d'Ezzat Ibrahim et lui rapporta la démarche koweïtienne.

« Mais ce n'est pas vrai, répliqua Ibrahim, rien n'est réglé! Nous ne pouvons pas faire cela. »

Hammadi rappela le ministre koweïtien pour l'informer que chaque délégation publierait son propre communiqué et dirait cc qu'elle souhaitait à la presse.

La délégation koweïtienne quitta Djeddah à seize heures, et dès son arrivée le prince héritier gagna Bayan Palace, un centre de conférences construit en 1986, où l'émir avait installé ses bureaux.

Durant tout le vol de retour, il avait paru préoccupé et à un moment il confia à ses collaborateurs : « J'ai la prémonition d'un désastre. »

Les Irakiens, eux, partirent d'Arabie Saoudite sans même saluer leur hôte. Ils décollèrent de Djeddah en fin de matinée et firent une courte escale dans la ville sainte de Médine. Saddoum Hammadi, le vice-Premier ministre, était un chiite pratiquant. A seize heures leur avion se posa à Bagdad. Ibrahim, le chef de la délégation, se rendit immédiatement chez Saddam Hussein qui l'attendait avec impatience. Il lui fit un exposé relatant en détail l'échec de la rencontre. Juste après, Saddam Hussein convoqua les membres du Conseil du commandement de la révolution. En moins d'une heure la décision fut prise : invasion du Koweït. L'offensive aurait lieu cette nuit.

Le même jour, les prix du pétrole augmentèrent encore de 60 cents. A Abdaly, le seul poste frontière ouvert entre les deux pays, situé à 80 kilomètres de Koweït City, on ne signalait aucun incident. Les véhicules continuaient de traverser normalement.

En Israël, la presse rapportait, amusée, l'histoire de ce graphologue à qui on avait demandé d'étudier l'écriture de Saddam Hussein sans lui dire à qui elle appartenait. « Celui qui possède cette écriture, avait-il dit, a besoin immédiatement de soins psychiatriques. » Chez les officiels l'heure apparemment n'était ni à l'inquiétude ni à la mobilisation. Ce jour-là, le chef des renseignements militaires, le major général Amnon Shahak, se mariait. A la réception qui suivit la cérémonie, des journalistes mêlés aux invités lui demandèrent s'il y avait un risque d'invasion militaire par l'Irak. Il parut amusé de la question et répondit par la négative. Quelques heures plus tard, il partait en voyage de noces.

James Baker venait d'arriver à Irkoutsk, au cœur de la Sibérie, vers dix-neuf heures (heure locale), pour discuter avec son homologue soviétique Édouard Chevardnadze. Les deux hommes ignoraient encore qu'ils allaient, dans cette ville sans charme, aux larges avenues bordées d'immeubles gris, être confrontés au premier vrai test des nouvelles relations soviéto-américaines.

« Une nouvelle ère commence », avaient affirmé à de nombreuses reprises George Bush et Mikhaïl Gorbatchev. Aucun n'avait envisagé qu'elle pût s'ouvrir de manière aussi dramatique. Baker, par la ligne spéciale codée qui le reliait en permanence à Washington, était tenu informé de la situation dans le Golfe. Les choses, selon lui, prenaient une tournure alarmante.

Il rencontra Chevardnadze au cours d'un

dîner en tête à tête. Le Soviétique, chevelure blanche, sourire amène, s'était révélé, depuis cinq ans qu'il était à la tête de la diplomatie soviétique, comme un remarquable négociateur. Pourtant rien ne le prédisposait à occuper un tel poste. Officier du KGB, il avait été ministre de l'Intérieur puis patron de la république de Géorgie où il avait mené une répression sévère. Les deux hommes prirent place à l'arrière d'une Zil noire. Le cortège traversait à vive allure les rues d'Irkoutsk. Des drapeaux américains flottaient sur les avenues balayées par un vent frais.

Les événements s'accéléraient. Le gouvernement américain semblait sortir de sa léthargie et se montrait extrêmement attentif à l'évolution de la situation. Une réunion « Inter-agences », regroupant des responsables des principaux ministères concernés, se tint tout au long de la journée au Département d'État.

L'échec de Djeddah et l'importance des concentrations de troupes irakiennes sur la frontière avaient convaincu les officiels que l'objectif de Saddam Hussein n'était plus seulement de faire pression sur le Koweït. Les participants reçurent en outre des informations de la CIA indiquant qu'une invasion du Koweït était probable.

Au Pentagone, en milieu d'après-midi, le chef d'état-major inter-armes, le général Colin

Powell, premier Noir à occuper une telle fonction, s'enferme avec les principaux responsables de l'armée dans une pièce adjacente au centre de commandement militaire. Le sanctuaire du système de défense américain. Cette salle de conférence, baptisée « Le Tank », est protégée de tout risque d'écoute par un système électronique.

Jusqu'au 30 juillet, le Pentagone ne croyait pas à l'éventualité d'une attaque. Selon ses analystes, les quatre conditions nécessaires n'étaient pas réunies par l'Irak : un système de communication, de l'artillerie, des munitions et des moyens logistiques importants capables d'appuyer une offensive. Le 1er août, tous ces éléments étaient en place, mais au cours des échanges personne n'envisageait encore l'invasion. Au point que l'un des participants, le général Schwarzkopf, regagne immédiatement son quartier général de Floride après cette rencontre.

Alors que cette réunion se poursuivait, à Ammān, le Premier ministre jordanien, Mudar Badran, réunissait à huis clos les membres du Parlement. Badran avait accompagné le roi Hussein dans ses efforts de médiation à travers les capitales arabes et, deux jours auparavant, il était encore à Bagdad et au Koweït. Badran leur dit : « Il est clair que l'Irak n'acceptera aucun compromis sur ses demandes de compensation adressées au Koweït pour la baisse des prix pétroliers. Ils ne veulent pas seulement que leurs dettes soient effacées. Ils demeurent inflexibles sur le fait que l'attitude du Koweït et des Émirats arabes, se livrant à une surproduction de pétrole, est un acte encore pire, à leurs yeux, que la guerre avec l'Iran. »

Pendant plus de trois heures, Mudar Badran fournit aux parlementaires de nombreux détails sur l'attitude irakienne. « Il est clair, dira l'un d'eux, qu'il savait qu'une invasion allait avoir lieu dans les prochaines heures et il voulait nous y préparer. » Le Premier ministre leva la séance à vingt-deux heures.

Étrange coïncidence, les services secrets militaires israéliens apprenaient en fin d'après-midi, de source jordanienne, l'imminence d'une invasion. En application des accords en vigueur depuis plusieurs années, l'information fut transmise dans les heures qui suivirent à l'antenne locale de la CIA.

A Washington, à dix-huit heures trente (vingt-deux heures trente GMT), Richard Haas senior-directeur des affaires du Moyen-Orient au Conseil national de sécurité, quitta la réunion du Département d'État pour regagner la Maison-Blanche. Il avait rendez-vous avec le général Brent Scowcroft, chef du Conseil national de sécurité, auquel il exposa en détail les échanges de vues et les positions développés par chacun des participants rassemblés au Département d'État. Un fait important ressortait : il n'y avait plus de consensus pour croire que l'Irak montrait ses muscles uniquement afin de contraindre le Koweït à des concessions par voie négociée.

Une demi-heure plus tard, Scowcroft et Haas quittaient les bureaux du Conseil national de sécurité, situés dans les sous-sols de la Maison-Blanche, et gagnaient les appartements de George Bush, au premier étage du bâtiment principal. Ils eurent avec lui une discussion de quarante-cinq minutes sur les résultats et les implications de la réunion « Inter-agences ». Pendant qu'ils parlaient, le téléphone sonna et Brent Scowcroft prit l'appel. Robert Kimmitt était au bout du fil. Le numéro 3 de la diplomatie américaine était en fait, durant ces heures, le secrétaire d'État en exercice en raison de l'absence de James Baker et de son adjoint Lawrence Eagleburger.

Kimmitt dit à Scowcroft qu'il venait de recevoir des informations qui n'étaient pas encore confirmées, indiquant que des coups de feu commençaient à être tirés au Koweït.

Kimmitt avait appelé peu auparavant Baker à Irkoutsk où il était sept heures du matin et déjà le 2 août. Comme il parlait à partir d'une ligne qui n'était pas « sûre » et donc exposée à des risques d'écoute, il s'essaya à un genre de dialogue périlleux : s'efforcer de transmettre des informations précises en restant elliptique dans la forme. Baker comprit que tout indiquait désormais que l'invasion était imminente. Une demi-heure plus tard, le secrétaire d'État alla voir le Soviétique pour une deuxième rencontre. Il fit part à Chevardnadze du message qu'il venait de recevoir de Washington.

– Nos services de renseignement, dit Baker, constatent un renforcement constant des forces irakiennes massées sur la frontière koweïtienne et prévoient une invasion. Nous espérons que vous essaierez de les retenir.

Le secrétaire d'État était un ami personnel de George Bush. Tous deux, purs produits de la bonne société de la côte Est, possédaient le don de formuler sans passion les faits les plus dramatiques. Baker s'adressait à Chevardnadze, pour lequel il avait acquis de l'estime, avec le même ton mesuré que s'il dialoguait avec un de ses anciens condisciples de Princeton. Le ministre soviétique accueillit les propos de l'Américain avec un mélange d'incrédulité et de gêne. Il répondit que les dirigeants soviétiques connaissaient Saddam Hussein depuis longtemps. (Ils lui avaient fourni une aide importante, notamment militaire, et l'URSS avait signé avec l'Irak, en 1972, un traité d'amitié et de coopération.) « C'est un client », dit avec le sourire Édouard Chevardnadze en se tournant vers Baker. « Je suis confiant, je ne crois pas qu'il ait préparé un plan d'invasion. »

Peu après ils se rendirent ensemble à une conférence de presse, ignorant l'un et l'autre que le Koweït avait été envahi.

Il était environ vingt et une heures quand des informations plus complètes parvinrent au Président américain et à ses deux collaborateurs. Elles émanaient des agences de renseignement et confirmaient l'ampleur de l'invasion. Les troupes de Saddam Hussein ne se contentaient pas d'occuper les zones frontalières, elles déferlaient sur l'ensemble du pays.

A Koweït City, le prince héritier Saad fut réveillé à une heure trente du matin (vingt-deux heures trente GMT et dix-neuf heures trente à Washington) par un appel angoissé du ministre de la Défense installé au quartier général de l'armée. Il lui apprenait que les forces irakiennes venaient de franchir la frontière. La première pensée du prince fut de s'accrocher à ce qui avait toujours été jusqu'ici sa conviction personnelle : Saddam Hussein voulait mettre la main sur les champs pétrolifères, près de la frontière, et peut-être sur les deux îles de Būbiyān et Warba situées à l'entrée du Golfe et qu'il convoitait depuis des années.

Il contacta aussitôt plusieurs autres membres de la famille régnante. La stupeur dominait chez tous et les nouvelles qui parvenaient peu à peu au quartier général l'accentuaient encore. Des centaines de chars lourds T62, de fabrication soviétique, fonçaient sur la capitale, distante de 60 kilomètres, accompagnés de camions transportant des dizaines de milliers d'hommes et d'une importante logistique de véhicules chargés d'essence et d'eau.

Radio Bagdad diffusa alors un communiqué annonçant qu'un « groupe essayait de renverser le gouvernement du Koweït ». Peu après une déclaration du Conseil du commandement de la révolution affirmait que cette tentative avait réussi et que des « jeunes révolutionnaires demandaient l'aide de l'Irak. Répondant à l'appel du nouveau gouvernement provisoire du Koweït, l'Irak a décidé d'accepter cette demande d'aide ».

« L'Irak, précisait le communiqué, a été invité à empêcher toute possibilité d'intervention étrangère dans les affaires du Koweït et le destin de la révolution. » La radio irakienne dénonçait aussi la famille Al Sabah comme « traître et agent du sionisme ».

Les deux principales bases aériennes koweïtiennes furent rapidement neutralisées. Celle d'Ahmad Al Jaber, près de l'aéroport civil, fut occupée par des unités parachutistes sans que les Koweïtiens opposent de résistance. Celle de Ali Salem, près de la frontière saoudienne, fut violemment bombardée, avant que des hélicoptères chargés d'hommes n'atterrissent.

Le vol 149 de la British Airways venant de Londres et à destination de Kuala Lumpur en Malaisie fit escale sur l'aéroport du Koweït, situé à quinze kilomètres de la capitale, juste après le début de l'invasion. Le Boeing 747 transportait trois cent soixante-sept passagers et dix-huit membres d'équipage. Il s'immobilisa sur la piste à deux heures du matin. Quelques minutes plus tard, des appareils irakiens bombardaient l'aéroport tandis qu'une colonne blindée avançait en direction de ce point stratégique. La nasse se refermait sur ces passagers devenus otages en puissance.

Les vingt-cinq mille soldats de l'armée koweïtienne n'offrirent qu'une faible résistance à l'impressionnante machine de guerre irakienne.

A quatre heures du matin, il devint clair pour le prince héritier et les autres membres de la famille Al Sabah qu'il n'y avait aucun espoir de stopper l'invasion. Ils étaient en contact téléphonique constant avec l'ambassade des États-Unis. Quand les informations révélèrent que les premières troupes n'étaient plus qu'à quelques kilomètres de la capitale, l'émir, entouré de ses principaux parents, décida de quitter le palais Dasman. Plusieurs membres de la famille au pouvoir vivaient dans cette luxueuse propriété ceinte de hauts murs. Des troupes de la garde royale commencèrent à prendre position autour du palais mais personne n'avait le moindre espoir qu'elles puissent tenir et s'opposer efficacement à la puissance de feu irakienne; l'affolement faisait place maintenant à la peur et ordres et contrordres se succédaient. Fallait-il partir immédiatement ou attendre encore un peu? Devait-on appeler une des bases militaires aériennes pour demander qu'on prépare un avion? L'émir n'avait plus confiance dans son aviation et de toute façon, ajouta-t-il, les Irakiens l'avaient probablement déjà neutralisée.

Dans les salons du palais brillamment éclairés, les Al Sabah vivaient, provisoirement peut-être, les derniers moments d'un règne qui avait duré deux siècles et demi. Grâce à l'or noir, le Koweït était devenu, avec un produit national brut atteignant les 20 milliards de dollars, l'État le plus riche de la planète.

Le pétrole avait assuré leur richesse pendant de longues années. Aujourd'hui, il provoquait leur perte. Jalousés, aveuglés et intransigeants, ils n'avaient pas compris qu'ils représentaient une proie qui aurait fait rêver n'importe quel prédateur. Or Saddam Hussein était aux abois.

Les tirs d'obus les firent sursauter; les échanges d'armes automatiques se rapprochaient. Par les fenêtres, on distinguait des volutes de fumée noire qui montaient vers le ciel. Des dépôts ou des immeubles touchés de plein fouet. Les Al Sabah ne caressaient aucune illusion : le palais Dasman était un des tout premiers objectifs – peut-être même la cible prioritaire – assignés par Saddam Hussein à ses troupes. La prise du Koweït passait à coup sûr, pour le maître de Bagdad, par l'élimination des représentants d'une monarchie honnie.

Plusieurs voitures stationnaient devant l'escalier d'entrée, et des domestiques, dans un va-et-vient incessant, y chargeaient sacs et objets.

A quatre heures quarante-cinq, les Al Sabah s'engouffrèrent dans les limousines qui partirent en trombe, remontant les allées et longeant pour la dernière fois les superbes jardins qui entouraient le palais. Le cortège fonçait à travers les avenues désertes, croisant parfois quelques unités blindées koweïtiennes gagnant un front qui ne cessait de se rapprocher.

Tous les détails avaient été arrêtés et un dernier coup de téléphone avait été passé juste avant le départ. Les voitures s'immobilisèrent devant l'ambassade américaine. L'ambassadeur, présent devant l'entrée, salua l'émir et sa suite. A quelques mètres un hélicoptère de l'armée américaine se tenait prêt à décoller. L'équipage était aux commandes et les pales des rotors tournaient déjà. Il ne pouvait contenir tous les fugitifs. L'émir, le prince héritier et quelques autres personnes embarquèrent, et il fut décidé que les autres gagneraient l'Arabie Saoudite par la route. La frontière n'était qu'à une cinquantaine de kilomètres, et la route était encore sûre.

L'hélicoptère décolla et tandis qu'il prenait de la hauteur, l'émir, le visage collé à la vitre, épuisé, anéanti par ce qu'il venait de vivre, pouvait voir les premières colonnes irakiennes pénétrer dans les faubourgs de sa capitale.

En raison du décalage horaire, le Japon fut la première grande puissance industrielle et financière à découvrir les détails de l'invasion. Les États-Unis s'enfonçaient dans la nuit, l'Europe était en plein sommeil mais les opérateurs japonais suivaient, heure par heure, l'évolution des événements. Le Japon, dépourvu de matières premières, dépendait à 80 % pour ses importations pétrolières des approvisionnements du Golfe. Le drame qui se jouait était considéré comme extrêmement grave. Les prix du pétrole sur le marché Spot, où sont négociées les cargaisons au coup par coup, s'envolèrent et cette flambée des cours se répandit comme un véritable incendie à travers les places financières d'Extrême-Orient. Tous ces marchés, au bord de la panique, allaient donner, ce 2 août, le ton au reste du monde stupéfait, qu'il s'agisse de New York, Londres, Zurich, Francfort ou Paris.

Le roi Hussein dormait dans son palais, construit au centre d'Ammān. Il fut réveillé par la sonnerie du téléphone placé à côté de son lit. Encore assoupi, il regarda l'heure. Son réveil indiquait six heures du matin. Il avait donné, depuis longtemps, des consignes très strictes à ses ministres et principaux collaborateurs : ne jamais être dérangé et réveillé par le téléphone, sauf cas très graves.

Il y avait au bout du fil une voix qu'il ne reconnut pas immédiatement, tant elle était déformée par l'excitation. Cette voix hurlait dans le combiné : « Avez-vous entendu? Avez-vous entendu? » Hussein identifia le roi Fahd. Le souverain saoudien l'appelait de Djeddah. « Le Koweït a été envahi, ajouta-t-il, et les Irakiens ne sont plus qu'à quelques kilomètres de Koweït City. Il faut que vous appeliez Saddam Hussein et que vous lui demandiez de retirer ses troupes jusqu'à la frontière, jusqu'à la zone frontalière en litige. »

Le roi de Jordanie tenta de calmer Fahd, qui venait probablement de s'entretenir avec l'émir exilé, et lui promit d'intervenir immédiatement.

Pratiquement au même moment, six heures quinze, le ministre jordanien des Affaires étrangères, Marwan Al Qasim, qui la veille au soir était rentré du Caire, fut réveillé à son tour par Chadli Klibi, le secrétaire général de la Ligue arabe. Klibi appelait du Caire et lui apprit le coup de force irakien. Pouvait-il prévenir immédiatement le roi?

Marwan Al Qasim décida d'enfreindre les consignes et téléphona au palais, inquiet de l'accueil qui lui serait réservé. Il fut surpris de découvrir qu'Hussein était déjà informé.

A six heures trente du matin, le souverain jordanien téléphona à Bagdad. Il possédait plusieurs numéros lui permettant de joindre Saddam Hussein. Il les essaya tous, en vain, le président irakien restait introuvable. Il ne put entrer en contact qu'avec Tarek Aziz, le ministre des Affaires étrangères.

Ignorant tout des efforts du roi de Jordanie pour lui parler, Saddam Hussein était retranché dans l'imposant bunker qu'il avait fait construire et aménager près de sa capitale. Entouré des membres du Conseil du commandement de la révolution et des chefs de son armée, il suivait la progression de ses troupes à l'intérieur du Koweït. A six heures trente, l'invasion était déjà un succès. Ses forces avaient pratiquement pris le contrôle de l'ensemble du pays et commençaient à nettoyer les poches de résistance qui existaient encore dans la capitale. Écoutant les messages radio qui provenaient du front et les comptes rendus qui lui étaient faits, Saddam Hussein ne pouvait cacher sa satisfaction. Le pays qu'il venait de conquérir était un fabuleux coffre-fort. C'était aussi, selon lui, une partie intégrante du territoire irakien. Mais il ne se doutait probablement pas qu'en corrigeant ce qui était, à ses yeux, une injustice des puissances coloniales, il venait de défier le reste du monde.

Au même moment il était vingt-trois heures trente à Washington et il manquait encore une demi-heure pour accéder à la date fatidique du 2 août. Immédiatement après leur réunion avec George Bush, vers vingt et une heures, Brent Scowcroft et Richard Haas avaient gagné la « Situation Room », une salle de conférence spécialement aménagée dans les sous-sols de la Maison-Blanche. Plusieurs pièces l'entouraient, sur les murs desquelles étaient accrochées de vastes cartes représentant les différentes régions du monde. Les informations transmises chaque matin à la Maison-Blanche par les services secrets étaient reproduites sur ces cartes. La Situation Room était également pourvue d'un équipement informatique extraordinairement sophistiqué qui permettait aux personnes présentes dans cette salle d'être reliées dans l'instant même avec n'importe quel point du globe. Une liaison vidéo, codée, fut immédiatement organisée entre la Maison-Blanche, le Pentagone, le Département d'État, la CIA et le siège de l'état-major. Les participants, outre Scowcroft et Haas, étaient John Robson, le ministre-adjoint des Finances, Robert Kimmitt qui représentait James Baker, le directeur de la CIA William Webster et son adjoint Dick Kerr, l'amiral Dave Jeremiah, le chef d'état-major adjoint, et Paul Wolfowitz du ministère de la Défense.

Présents sur les écrans, ces hommes dialoguaient entre eux, échangeaient ou recoupaient les informations qu'ils recevaient et qui toutes révélaient l'ampleur de l'attaque. Brent Scowcroft coordonnait toutes ces interventions, imprimant à cette réunion son ton, à la fois pondéré et précis.

Il s'absentait régulièrement de la pièce pour aller téléphoner à George Bush, resté dans ses appartements. A vingt-trois heures il eut avec lui une dernière conversation puis le Président alla se coucher.

Plusieurs mesures furent arrêtées, dont la convocation d'une réunion d'urgence le lendemain à huit heures autour du Président. Il avait aussi été décidé de geler immédiatement tous les avoirs irakiens, et surtout koweïtiens, afin que le nouveau pouvoir en place ne puisse s'en saisir. Pour être pleinement efficace une telle action exigeait une véritable coordination planétaire.

En effet, depuis plusieurs années les responsables koweïtiens affectaient 10 % de leurs revenus pétroliers à deux objectifs ; 2 % étaient, ironie de l'Histoire, consacrés à des prêts à l'Irak, durant sa guerre contre l'Iran, et les autres 8 % étaient transférés à un « fonds pour les générations futures » géré par le Koweït Investment Office, holding géant basé à Londres. Selon toutes les évaluations, le portefeuille d'investissement géré par le KIO représente au total entre 100 et 120 milliards de dollars. Les placements koweïtiens aux États-Unis représentent plus de 10 % de tous les investissements étrangers. L'émirat a investi en Amérique entre 25 et 30 milliards de dollars sous forme d'actions, de bons du Trésor et de biens immobiliers. En Espagne, il est le plus gros investisseur étranger et les Koweïtiens siègent aux conseils d'administration de plusieurs grosses sociétés dont certaines travaillent dans des domaines aussi sensibles que la presse, la défense, et les hydrocarbures. A Londres, le KIO est un acteur essentiel de la vie économique et financière de la Grande-Bretagne, détenant de nombreuses participations, notamment dans des banques, des chaînes d'hôtellerie. Le KIO avait même possédé durant un moment jusqu'à 22 % des actions du géant pétrolier British Petroleum mais devant les réactions hostiles du gouvernement britannique, il réduisit sa participation à 9,9 %. En Allemagne fédérale, le KIO est actionnaire de nombreux fleurons de l'économie d'outre-Rhin comme Daimler-Benz et Hoechst. Au Japon, l'émirat est également le plus gros investisseur étranger à la fois sous forme de bons du Trésor et d'actions sur le marché boursier. Tous les grands pays capitalistes, y compris l'Afrique du Sud, ont été pénétrés par le KIO et ses holdings financiers.

Saddam Hussein, en quelques heures, venait de modifier les rapports de forces. En se rendant maître des champs pétrolifères koweïtiens, il contrôlait désormais plus d'un cinquième de tout le pétrole produit à travers le monde. Les investissements de l'émirat pouvaient lui fournir, en plus, un gigantesque trésor de guerre et un moyen de pression accru sur les économies occidentales.

Pour contrer ce danger, les responsables américains agirent vite. Des hommes habitant Washington et sa banlieue furent réveillés en pleine nuit et reçurent l'ordre de venir à la Maison-Blanche. Tous étaient des avocats travaillant pour le ministère de la Justice. La convocation avait été rédigée en termes laconiques et nul ne savait, en se présentant aux services de sécurité à l'entrée de la présidence, les raisons exactes de cet appel. En quelques minutes l'objectif leur fut exposé : produire d'urgence un document juridique qui serait signé par le Président et qui contiendrait toutes les mesures pour un gel absolu des avoirs de l'Irak et du Koweït sur le territoire des États-Unis. C'était une mesure hostile à Bagdad, mais destinée à sauvegarder les intérêts du gouvernement koweïtien désormais en exil.

Pendant qu'ils travaillaient, le ministre-adjoint des Finances, Paul Robson, téléphonait à travers le monde, dans toutes les capitales européennes et en Asie pour joindre les gouverneurs des banques centrales. Ces personnalités, surprises par un appel si matinal, apprenaient, le plus souvent, l'invasion de la bouche de Robson. Le responsable américain avait pour consigne de leur demander d'appliquer dans les plus brefs délais des mesures identiques pour geler tous les actifs, avant que Bagdad, par l'intermédiaire du nouveau pouvoir mis en place à Koweït City, ne prenne des initiatives.

A quatre heures quarante-cinq du matin, George Bush fut réveillé; les documents étaient prêts. Il apposa sa signature. Le gel des avoirs devenait effectif. Un communiqué fut rédigé par le service de presse de la Maison-Blanche pour annoncer cette décision.

Peu après, la France gelait les avoirs irakiens et koweïtiens. La Grande-Bretagne, de son côté, gelait immédiatement les avoirs koweïtiens (5,4 milliards de livres en dépôt dans des banques anglaises) mais décidait d'attendre le 4 août pour geler les avoirs de l'Irak.

La réunion qui s'était déroulée sans interruption durant toute la nuit dans la Situation Room avait permis de prendre aussi une autre initiative. Passé le premier moment de stupeur, car personne n'avait cru réellement aux menaces de Saddam Hussein, les responsables présents, ou dialoguant par vidéo, ébauchaient les bases d'une réplique.

L'option militaire n'avait pas encore été discutée mais les choix diplomatiques étaient plus clairs. L'émir et ses collaborateurs, réfugiés à Djeddah, furent joints dès leur arrivée en Arabie Saoudite. Les responsables américains travaillèrent étroitement avec eux durant toutes ces heures pour convoquer d'urgence le Conseil national de sécurité des Nations Unies.

A Manhattan, au siège des Nations Unies, se déroulait un ballet de voitures insolite à une heure aussi avancée de la nuit. Les ambassadeurs et leurs délégations arrivaient dans le building de verre construit au bord de l'Hudson. A quatre heures trente du matin, la résolution 660, la première ayant trait à la crise irakienne, fut votée. Elle appelait Bagdad à un retrait immédiat et inconditionnel du Koweït et au rétablissement du statu quo. Seul le Yémen refusa de voter, alors que l'URSS, la Chine et même Cuba se joignaient aux États-Unis, à la France et à la Grande-Bretagne. L'ambassadeur irakien à l'ONU répliqua en affirmant que son gouvernement avait répondu à une demande d'aide émanant de jeunes révolutionnaires koweïtiens ».

La résolution se référait au chapitre 7 de la charte des Nations Unies qui prévoit l'application de sanctions contre un pays agresseur et, si elles échouent, « un blocus ou d'autres opérations par air, mer ou terre de la part des forces d'États membres des Nations Unies ».

A Washington, Brent Scowcroft, Richard Haas et tous ceux qui ont participé au marathon nocturne, qui a duré de vingt et une heures à cinq heures du matin, savent qu'ils ne disposent que de trois heures pour rentrer chez eux, prendre un bain et changer de vêtements. La réunion décidée par George Bush à la Maison-Blanche doit débuter à huit heures précises.

A dix heures trente du matin, (vingt et une heures trente la veille à Washington), à l'issue de leur conférence de presse, les ministres américain et soviétique des Affaires étrangères partent pour l'aéroport. Chevardnadze rentrait à Moscou et Baker s'envolait pour la capitale de la Mongolie, Oulan-Bator. Son collaborateur, Dennis Ross, allait lui à Moscou dans l'avion de Chevardnadze.

Durant son vol, Baker fut appelé de Washington sur sa ligne spéciale et prévenu en détail de l'invasion irakienne. Tandis que son appareil volait vers la Mongolie – cet État tampon de deux millions d'habitants, assoupi entre l'URSS et la Chine et qui semblait à l'écart de la folle agitation qui s'était emparée du reste du monde –, Baker se dirigea vers l'arrière de l'avion où se tenait la presse et lui annonça la nouvelle.

Une heure plus tard, Chevardnadze atterrit à Moscou. Il n'est toujours pas au courant. A peine a-t-il débarqué qu'un journaliste de l'agence Tass se précipite vers lui :

– Qu'est-ce que vous avez à dire sur l'invasion ?

Chevardnadze répond, interloqué :

– Quelle invasion ?

– Mais celle du Koweït par l'Irak !

Le ministre soviétique, embarrassé, refuse de répondre aux questions.

– Je ne suis pas informé. Je vais consulter mes conseillers.

Il se tourne avec brusquerie vers son collaborateur Sergeï Tarasenko et lui dit d'un ton irrité : « Voyez immédiatement ce qui se passe. »

Ross lui se rend immédiatement à l'ambassade des États-Unis et prend contact avec Baker. Il suggère qu'il serait important de mettre au point un communiqué soviéto-américain qui ne condamnerait pas seulement l'invasion mais appellerait à une action commune contre l'Irak. Baker approuve et téléphone à George Bush pour avoir son accord. Le Président trouve l'idée excellente et lui donne le feu vert. Baker rappelle Ross à Moscou et lui dit : « Préparez le texte, mais soyez sûr que c'est un bon communiqué. »

Il fut décidé que Baker écourterait son voyage en Mongolie pour gagner Moscou où il lirait le texte conjoint en compagnie d'Édouard Chevardnadze. Ross était chargé de négocier ce scénario avec les Soviétiques. Il dit à son interlocuteur, Sergeï Tarasenko, qu'une telle initiative dissuaderait d'autres pays arabes de se rallier à l'Irak et interdirait à Saddam Hussein d'espérer jouer, comme autrefois, sur les rivalités entre superpuissances. Tarasenko parut d'abord hésitant puis, après avoir consulté Chevardnadze, répondit à Ross : « Nous sommes d'accord. » « Très bien, répondit le collaborateur de Baker, mais il faut que ce soit un texte ferme, car n'oubliez pas que le secrétaire d'État viendra spécialement à Moscou pour le lire. »

Abou Iyad, le numéro 2 de l'OLP, responsable notamment des questions de sécurité et de renseignement, dormait dans sa villa située dans la banlieue de Tunis. Sa femme, qui vit d'habitude à Koweït City, venait d'arriver. Ils sont réveillés par un appel en provenance de la capitale koweïtienne. Des membres de leur famille révèlent que des combats se déroulent non loin de leur maison. Abou Iyad s'habille et va voir immédiatement Arafat qui a l'habitude de travailler tard dans la nuit, dans sa maison du quartier Samed. Le chef de l'OLP était au courant. Il avait été, lui aussi, prévenu par des parents résidant à Koweït City. Les deux hommes décident de se rendre, le lendemain, dans plusieurs capitales arabes.

CHAPITRE VI

Il était un peu plus de minuit à Londres et donc deux heures du matin dans le Golfe, quand le diplomate de permanence au Foreign Office, le ministère des Affaires étrangères, reçut un appel de son ambassade à Koweït annonçant l'invasion. Après avoir noté tous les détails, il traversa les couloirs déserts du ministère pour aller téléphoner sur une ligne spéciale au service « 24 heures » du 10 Downing Street. Cette cellule, appartenant aux services du Premier ministre, recueille sans discontinuer toutes les informations importantes. Margaret Thatcher fut jointe immédiatement. Elle venait d'arriver à Aspen, Colorado, dans l'Ouest des États-Unis, où elle participait le lendemain à une conférence en compagnie de George Bush. Il était alors dix-neuf heures à Aspen et, en raison du décalage horaire, encore le 1er août.

Le Premier ministre japonais, Kaifu, prenait cinq jours de vacances à Guma, une localité montagneuse située à cent kilomètres au nord de Tokyo. Il fut prévenu de l'invasion par des responsables du ministère des Affaires étrangères, une heure après son déclenchement. Il était alors sept heures du matin, le 2 août. Le premier commentaire de Kaifu fut de dire : « C'est regrettable. »

April Glaspie, l'ambassadeur américain à Bagdad, qui était sortie confiante, quelques jours plus tôt, de son entretien avec Saddam Hussein, est stupéfaite. Elle découvre l'invasion, le 2 août au matin, dans une chambre d'hôtel de Londres, en branchant la télévision. Elle y séjourne avec sa mère. Son chien, resté à Bagdad, sera évacué un peu plus tard par un des premiers vols ramenant des femmes américaines.

Le chancelier Helmut Kohl réside en Autriche, à Saint-Gilgen, dans une villa au bord d'un lac qu'il loue chaque année pour ses vacances d'été. A neuf heures, son assistant personnel, Édouard Ackermann, l'appelle de Bonn pour lui apprendre l'événement. Kohl ne recevra aucun message de dirigeants politiques occidentaux, jusqu'à l'appel de Bush, trois jours plus tard, lui annonçant sa décision d'envoyer des troupes en Arabie Saoudite.

A Koweït City, c'est la panique. De nombreux habitants tentent de fuir vers l'Arabie Saoudite, mais toutes les routes sont déjà coupées et sous contrôle des troupes irakiennes. Arrêtées aux barrages, des familles sont expulsées sans ménagements de leur véhicule et les téléphones qui y sont installés, une pratique courante au Koweït, sont arrachés pour éviter qu'ils ne servent à transmettre les positions des troupes.

Des hélicoptères survolent la ville quadrillée par trois cents chars qui patrouillent sur les avenues désertes. Des véhicules brûlent et des tirs de mortier et d'armes automatiques se font entendre dans le quartier des affaires et près du palais de l'émir, encerclé par cinquante chars lourds. Durant ces combats, les plus violents de toute l'invasion, le cheikh Fahd, le plus jeune frère de l'émir, resté sur place, sera tué. Quelques navires d'escorte irakiens seront détruits par des vedettes koweïtiennes équipées de missiles mais ce ne seront, au total, que quelques poches de résistance qui s'opposeront à l'armée irakienne. Dès le début de l'après-midi les tirs ont pratiquement cessé. Plus de deux cents Koweïtiens ont été tués.

En quelques heures Saddam Hussein a réalisé son rêve. Il contrôle désormais 20 % des réserves mondiales de pétrole et il dispose de deux cents kilomètres de côtes qui lui donnent un accès direct au golfe arabo-persique.

Le reste du monde arabe découvre, médusé, la détermination de Saddam Hussein. Aucun pays proche de l'Irak ne peut se sentir en sécurité. La Jordanie, bien sûr, mais aussi le frère ennemi syrien et surtout l'Arabie Saoudite, riche et vulnérable, qui se retrouve en première ligne. Le président irakien a les moyens militaires de conquérir beaucoup plus encore. Dans les faubourgs de Koweït City, un émetteur clandestin de radio lance un appel : « Oh Arabes, le sang et l'honneur du Koweït sont violés; venez à son secours. » La voix qui prononce ces mots pleure en ajoutant : « Les enfants, les femmes, les vieillards du Koweït vous lancent un appel. »

Le monde arabe, frappé de stupeur, restera muet devant cet appel à l'aide. En partie par crainte mais surtout parce qu'une confusion proche du chaos règne partout.

Le roi Hussein va déployer, à partir du 2 août, d'intenses efforts pour tenter de stopper l'escalade.

Vers neuf heures quinze, il réussit enfin à joindre Saddam Hussein. Le leader irakien n'est ni tendu, ni intransigeant. Il explique que, face à la conspiration montée contre lui, l'Irak n'avait d'autre choix que d'attaquer. Le roi Hussein se dit « choqué » par l'ampleur de l'opération et propose de venir à Bagdad en fin d'après-midi. Saddam Hussein accepte immédiatement.

A l'issue de cette conversation, le souverain sort renforcé dans sa conviction qu'une solution rapide et négociée est possible, dans un cadre arabe. Il téléphone vers neuf heures quarante à Hosni Moubarak, qui séjourne à Alexandrie. Il lui rapporte ses propos avec le chef de l'État irakien et lui expose son plan : Tenue d'un mini-sommet arabe soit au Caire, soit à Riyād, dans la matinée du 4 août. Jusque-là, insiste le roi, il faut éviter toute déclaration des pays arabes qui soit hostile à l'Irak, pour éviter l'annulation du sommet. Moubarak lui affirme : « Je soutiendrai votre position. » Hussein décide de faire un crochet par Alexandrie, avant de gagner l'Irak, pour évoquer ces projets, plus en détail, avec le président égyptien. Avant de raccrocher, il lui suggère de parler à Saddam Hussein. « Non, dit Moubarak, il m'a déçu. »

A dix heures, au Caire, de nombreux ministres des Affaires étrangères prennent place dans la grande salle du palais des congrès, un bâtiment récemment construit par la Chine populaire. Ils viennent assister à une réunion de la Conférence islamique prévue depuis de longs mois.

Sous la pression des Koweïtiens et des Syriens, la rencontre est ajournée et les délégués sont informés qu'ils doivent se rendre à l'hôtel Sémiramis, où débutera à douze heures quinze une réunion spéciale du Conseil de la Ligue arabe.

Quand les travaux s'ouvrent, dans une atmosphère de tension et de désarroi, Saddam Hussein a envahi le Koweït depuis plus de dix heures et l'armée irakienne contrôle totalement le pays.

Farouk Kaddoumi, le ministre des Affaires étrangères de l'OLP, préside les débats, en vertu du système de rotation qui prévoit que chaque réunion du Conseil de la Ligue est dirigée par un ministre des Affaires étrangères différent.

La délégation koweïtienne réclame la mise en application immédiate du pacte de défense arabe qui demande à toutes les nations arabes d'agir pour protéger un pays membre attaqué. A l'exception des Émirats arabes unis, la grande majorité des ministres présents préfère se cantonner dans un prudent attentisme.

Le ministre des Affaires étrangères syrien, Farouk Al Shara, tient des propos surprenants. Selon lui les relations avec le Koweït étaient mauvaises (là aussi pour des motifs d'argent non versé) mais il affirme que les rapports avec l'Irak s'étaient améliorés. Cependant, ajoute-t-il, « la Syrie respecte la charte de la Ligue arabe qui considère comme illégale l'invasion d'un pays arabe par un autre ».

L'ambassadeur d'Irak en Égypte assiste à la réunion, mais il n'a reçu aucune directive de son gouvernement pour engager des négociations avec d'autres pays arabes. Enfin, après de longs moments passés au téléphone, il est en mesure d'annoncer qu'une importante délégation irakienne va s'envoler pour Le Caire, avec à sa tête le vice-Premier ministre, Saddoum Hammadi. A quatorze heures trente la réunion est levée et il est décidé qu'elle reprendra à dix-huit heures. Chacun attend, avec impatience, le message dont, personne n'en doute, Hammadi est porteur.

Maison-Blanche, huit heures du matin. Alors qu'au Caire la séance de la Ligue arabe vient d'être levée, George Bush pénètre dans le « Cabinet Room », adjacent au bureau ovale. Toutes les personnalités convoquées sont déjà à leur place, autour de l'immense table qui occupe la plus grande partie de la pièce. Il y a là le vice-Président, Dan Quayle; le secrétaire général de la Maison-Blanche, John Sununu; le ministre des Finances, Nicholas Brady; l'attorney général (ministre de la Justice), Richard Thornburgh; le ministre de la Défense, Richard Cheney; le directeur de la CIA, William Webster; le chef d'état-major, Colin Powell; le général Schwarzkopf qui dirige le CENTCOM (le commandement central américain) et qui prendra quelques jours plus tard la direction du corps expéditionnaire américain envoyé en Arabie Saoudite. Le général Brent Scowcroft, son adjoint Richard Haas et Robert Kimmitt sont également présents.

Tous les hommes clés de l'Administration Bush sont là pour affronter la crise la plus grave depuis leur entrée en fonction.

Les journalistes accrédités à la Maison-Blanche sont autorisés à pénétrer quelques instants dans la salle de réunion. Bush prononce sa première déclaration publique sur la crise :

– Laissez-moi vous dire que les États-Unis condamnent fermement l'invasion et appellent à un retrait inconditionnel. Il n'y a pas de place pour ce genre d'agression brutale dans le monde d'aujourd'hui.

Puis les portes se referment pour une séance top-secret qui va durer près d'une heure.

Les discussions vont porter pour une large part sur les mesures de représailles, de caractère diplomatique et économique, qui pourraient être prises contre l'Irak. Dès le début de la réunion, le secrétaire général de la Maison-Blanche, John Sununu, un homme à l'allure enveloppée et au caractère présumé autoritaire, se tourne vers Richard Cheney, le patron du Pentagone. Il propose, et personne à cet instant ne sait s'il parle sérieusement, « d'envoyer des B2 (l'avion furtif qui échappe aux détections des radars) bombarder l'Irak ». Cheney marque un court silence avant de répondre, embarrassé : « Je dispose seulement d'un avion de ce type. Les autres n'ont pas été testés suffisamment pour que l'on puisse considérer qu'ils sont prêts au combat. »

En fait, l'Administration Bush se trouve face à un problème de doctrine stratégique. Une intervention militaire dans le Golfe est une éventualité retenue depuis dix ans. A la chute du shah d'Iran, en 1979, Jimmy Carter avait créé une force de déploiement rapide dont la mission prioritaire devait être la protection des champs pétrolifères de la région. Un plan secret, portant le numéro de code 90-1002, avait alors été élaboré. Il n'y avait qu'un double oubli, ce plan ne prévoyait ni la perte du Koweït, ni l'agression de l'Irak. Il envisageait seulement un affrontement avec l'Union soviétique dans la région du Golfe.

Le CENTCOM, cette direction militaire créée en 1983, avait la charge de mettre en place ce plan secret. Mais malgré les 2 000 milliards de dollars dépensés au cours des huit dernières années pour moderniser et renforcer les forces armées, les responsables militaires américains se trouvaient dans une impasse. Leurs troupes étaient formées et entraînées à un conflit sur des théâtres d'opérations comme l'Europe, ou la péninsule coréenne, pas à une guerre dans les sables du désert. De plus, le Pentagone était pris de court. Il avait pu disposer de plusieurs mois pour préparer l'opération « juste cause », qui aboutit à l'envoi de troupes au Panama afin de capturer le général Noriega. « En fait, confiera un des participants à cette réunion, nous partions de zéro. »

C'était là une évidence encore plus frappante quand George Bush demanda de quelles forces il pourrait disposer immédiatement. La réponse qu'il reçut était sans appel : deux mille cinq cents hommes de la 82e division aéroportée, basée à Fort Braggs en Caroline du Nord, pouvaient être envoyés sur-le-champ, mais l'acheminement de contingents plus importants prendrait au minimum quatre semaines. Au terme de ce délai, le rapport de force serait encore largement défavorable aux Américains, face à l'armée d'un million d'hommes et aux 5 500 chars alignés par Saddam Hussein. Un des chefs militaires présents à la Maison-Blanche le dit crûment : « Il n'existe pas d'option militaire satisfaisante. Nous n'avons pas de gars sur le terrain. » En effet, malgré les tentatives répétées de Washington, l'Arabie Saoudite avait toujours refusé l'installation de bases américaines sur son territoire.

Il était alors neuf heures et George Bush donna l'ordre que toutes les options militaires envisageables lui soient présentées le surlendemain, samedi 4 août, à sa résidence d'été de Camp David. Un éventuel voyage du ministre de la Défense, Richard Cheney, en Arabie Saoudite, fut aussi discuté sans qu'aucune décision définitive ne soit arrêtée.

A neuf heures quinze, Bush quitte la réunion pour regagner le bureau ovale où il prend quelques dossiers. Puis il se dirige rapidement vers la pelouse Sud de la Maison-Blanche. Un hélicoptère l'attend pour le conduire à la base militaire d'Andrews, où le Boeing présidentiel, Air Force One, est prêt à décoller. Bush se rend à Aspen, Colorado, où il doit prononcer un discours sur les questions de défense. Il s'agit d'une intervention prévue depuis plusieurs mois. Il a failli annuler ce voyage devant l'aggravation de la crise, mais l'a maintenu au dernier instant, parce qu'il doit rencontrer Margaret Thatcher. Le Premier ministre britannique va exercer une influence importante auprès du Président américain. Dans l'avion, assis dans son fauteuil placé près d'un hublot, il modifie, en compagnie de Brent Scowcroft, le texte de son discours, liant la crise du Golfe à la nécessité de maintenir des moyens de défense appropriés pour les États-Unis. Les corrections achevées, il donne l'ordre d'appeler la résidence d'Hosni Moubarak, à Alexandrie.

Le roi Hussein s'est posé dans la ville côtière égyptienne, aux commandes de son avion, une demi-heure plus tôt. Il est alors seize heures. Dès le début de son entretien il réaffirme au président égyptien qu'il est convaincu que le problème peut être résolu et qu'il pense arriver à persuader Saddam Hussein de quitter le Koweït. Celui-ci serait favorable à une telle solution, à condition de ne pas être condamné par la Ligue arabe. Mais il le répète avec netteté : pas d'attaque contre l'Irak jusqu'à la tenue du sommet prévu pour le 4. Moubarak accepte.

Le téléphone sonne alors que les deux hommes sont en pleine discussion. La voix de George Bush, qui vole à dix mille mètres d'altitude au-dessus du territoire américain, est parfaitement nette. Il discute d'abord, pendant cinq minutes, avec Moubarak puis le président égyptien lui passe le roi Hussein. Les deux hommes dialogueront vingt-cinq minutes. Le souverain jordanien lui dit : « Nous pouvons régler cette crise, la contrôler, nous pouvons nous en occuper. George, nous avons besoin d'un peu de temps. » Bush lui répond : « Vous l'avez, je m'en remets à vous. »

Le salon où conversent les deux hommes s'ouvre sur une large terrasse qui domine la mer. Alexandrie, ville emplie de torpeur, se profile au loin. Tout ici incite à l'optimisme et à la paix. Le roi Hussein, durant cette brève escale, semble habité par la certitude que le conflit du Koweït ne sera bientôt plus qu'un faux pas vite oublié. Moubarak, plus sceptique, feint ou s'efforce de croire à une telle éventualité.

Dix-sept heures. Jérusalem. Une session d'urgence consacrée à l'Irak débute à la Knesset, le Parlement israélien. Peu avant, l'ambassadeur américain a été reçu par le ministre de la Défense, Moshe Arens. Celui-ci propose de fournir aux États-Unis toute l'aide dont ils auront besoin en matière de renseignement.

En fait, l'attaque irakienne a mis en lumière un certain nombre de déficiences israéliennes. L'Irak n'est pas un pays « bien couvert » par les services secrets israéliens, qui se heurtent à un problème de recrutement et à la difficulté de ne pas avoir de satellite espionnant cette région.

En effet, les Américains, depuis 1981, refusent de transmettre à Israël toutes les photos et informations, prises par des satellites espions, qui vont au-delà d'un périmètre de cinquante kilomètres autour de l'État hébreu. Cette distance est considérée par Washington comme une « zone de sécurité suffisante pour éviter tout danger immédiat ». La mesure a été prise juste après le bombardement par Israël de la centrale nucléaire irakienne d'Osirak.

Dans la matinée, à huit heures trente, une réunion du cabinet israélien s'est tenue dans un climat tendu. Certains ministres, dont Ariel Sharon, ont vivement critiqué ces lacunes et l'exposé du brigadier-général Danny Rothschild, responsable-adjoint des services secrets militaires (son supérieur est encore en voyage de noces), va provoquer d'âpres discussions. L'impression d'une majorité de responsables israéliens est que les services spéciaux ont été surpris par le moment de l'invasion mais aussi par son ampleur.

Tandis que le porte-avions américain *Independance* et six navires d'escorte font route vers le Golfe où ils seront rejoints par un croiseur, un destroyer et cinq frégates, la Lloyd's de Londres, la célèbre compagnie d'assurances, annonce l'instauration immédiate d'une prime de guerre qui devra être payée par tous les bateaux naviguant dans cette zone.

A Londres, toujours, le prix du pétrole de la mer du Nord atteint 24 dollars le baril.

Avant de quitter Ammān, le roi Hussein a tenté, en vain, de parler au roi Fahd. Il a alors donné l'ordre à son ministre des Affaires étrangères, Marwan Al Qasim, de prendre rendez-vous avec le souverain saoudien et de s'envoler pour Djeddah. Après plusieurs tentatives et une longue attente, la réponse saoudienne parvient au ministre jordanien : « Ne venez pas ! »

Hosni Moubarak, lui, a plus de succès. Il est alors dix-huit heures et le roi Hussein, qui vient de le quitter pour s'envoler vers Bagdad, lui a demandé de téléphoner à plusieurs responsables arabes, dont le roi Fahd. Il s'agit d'obtenir qu'ils restent calmes et neutres au cours des prochaines quarante-huit heures. Moubarak transmet la suggestion de Hussein au souverain saoudien qui accepte.

Au même moment, dans la capitale égyptienne, les ministres des États membres de la Ligue arabe se retrouvent à l'hôtel Sémiramis. Tous attendent l'arrivée promise de la délégation irakienne. En vain. Les représentants des États du Golfe se montrent exaspérés devant le refus de la Ligue arabe de condamner l'invasion. Ils sont rejoints par les Syriens, ennemis jurés de l'Irak. Pendant trois heures et demie, dans une ambiance qui ne cesse de se tendre, les délégués vont guetter l'arrivée des Irakiens. Quand, enfin, Saddoum Hammadi traverse l'allée centrale pour gagner la tribune, il est vingt et une heures trente.

Le vice-Premier ministre irakien déplie un texte dont on pense qu'il s'agit d'un plan de paix. La déception va être totale. Il commence son discours en affirmant : « La situation au Koweït est non négociable. » Hammadi n'a rien à proposer. Pendant une demi-heure, il va reprendre la longue litanie des arguments irakiens : certaines nations arabes et les États-Unis ont créé une conspiration économique contre l'Irak en maintenant à un très bas niveau les prix du pétrole et en empêchant Bagdad de stabiliser son économie gravement endommagée par la guerre Irak-Iran. L'intervention d'Hammadi est dépourvue de toute ébauche de concession. Il réaffirme vigoureusement que c'est l'Irak qui a empêché l'Iran de s'étendre dans la région et durant toutes ces années de guerre, dit-il, « l'Irak avait servi de bouclier à tous les États du Golfe. En dépit de cette protection, ces États ont ensuite refusé de nous donner toute l'aide financière dont nous avions désespérément besoin ».

Quand Hammadi regagne son siège, la stupeur règne dans la salle. Bagdad semble fermer la porte à tout compromis et brusquement la crise du Koweït prend une couleur beaucoup plus sombre. A un optimisme peut-être excessif succède un abattement total.

Lorsque la séance est ajournée jusqu'au lendemain matin neuf heures, les délégués présents ne se font plus aucune illusion sur l'issue des débats.

L'unique espoir d'une solution arabe repose désormais sur la rencontre qui se déroule au même moment entre le roi de Jordanie et Saddam Hussein.

A Bagdad, les discussions entre les deux hommes ont déjà commencé. Ils sont assis côte à côte. Saddam Hussein offre un visage beaucoup plus détendu que le souverain jordanien. Il remercie d'abord le roi pour tous ses efforts et entreprend d'expliquer les raisons pour lesquelles il a déclenché l'invasion. « J'avais prévenu que si les négociations échouaient, et c'est ce qui s'est passé à Djeddah, j'adopterais d'autres moyens pour résoudre le problème. » Le roi développe le plan qu'il avait imaginé en insistant sur le fait que cette crise doit se « résoudre dans un cadre strictement arabe ». « Je redoute, ajoute-t-il, l'intransigeance américaine et son ignorance du monde arabe. Si des éléments étrangers, qui n'ont pas une bonne perception, compréhension, de cette région, sont impliqués dans la crise, les choses vont se tendre très vite. »

Il est alors plus de vingt-trois heures et les deux dirigeants ne sont pas encore arrivés à une ébauche de solution. Le roi, fatigué, souhaite aller dormir et propose que les discussions reprennent le lendemain matin. Saddam Hussein, courtois et attentif, accepte et souhaite une bonne nuit au souverain jordanien.

Juste avant que son avion n'atterrisse à Aspen, Bush joint James Baker qui s'apprête à quitter la Mongolie pour l'URSS : « Il faut, Jim, que la déclaration conjointe révèle un très haut degré de collaboration entre l'Union soviétique et nous, sinon il est inutile que vous alliez à Moscou. »

Dès son arrivée, le Président américain rencontre une première fois Margaret Thatcher. Son éternel large sac sous le bras, elle lui serre fermement la main et ses premiers mots sont : « Vous devez le savoir, George, il ne s'arrêtera pas. » C'est une crainte que partage de plus en plus Bush, qui va téléphoner, alors que se déroule à quelques mètres cette conférence sur les questions de défense, au président Salehih du Yémen, l'un des rares alliés de l'Irak. Les montagnes du Colorado se dressent à proximité et donnent à cette manifestation l'allure d'un cours d'université d'été.

Bush, après avoir prononcé son discours, appelle la résidence du roi Fahd en Arabie Saoudite et réitère au souverain la détermination totale des États-Unis de protéger son royaume. Fahd le remercie longuement, mais cette sollicitude semble l'embarrasser plutôt que le réjouir. Fahd, homme timide, à la santé fragile, donne l'impression d'être désemparé.

L'Arabie Saoudite, comme il le redoutait, est désormais en première ligne. Le royaume est depuis sa création, soixante-trois ans plus tôt, un îlot de stabilité mais l'invasion du Koweït est un événement qu'il qualifie de « dramatique ». L'émir et sa famille sont désormais ses hôtes. Étrange manière pour l'Histoire de se refermer : quatre-vingt-huit ans plus tôt, en 1902, ibn Séoud, le fondateur du royaume, alors pourchassé, avait trouvé refuge au Koweït, auprès des Al Sabah.

Avant de regagner Washington, George Bush et Margaret Thatcher s'enferment dans la résidence Catto, un luxueux chalet appartenant à l'ambassadeur des États-Unis en Grande-Bretagne. Thatcher recommande au Président américain la plus extrême fermeté et une vaste mobilisation internationale à travers les Nations Unies. Les options militaires ne sont pas évoquées, mais selon un témoin « elle parlait de Saddam Hussein un peu à la manière dont son prédécesseur, Anthony Eden, durant la crise de Suez, parlait de Gamal Abdel Nasser en le comparant à Hitler ».

Tandis que l'avion présidentiel décolle d'Aspen vers seize heures, pour Washington, le Pentagone a déjà pris un certain nombre de mesures. Des équipages d'avions-cargos géants C141 sont convoqués d'urgence. Toutes les permissions sont supprimées et tous les militaires doivent, dans les trois heures, avoir regagné leurs bases. Stupéfaits, ces hommes quittent brusquement parents, amis sans connaître les raisons de leur rappel. En début de soirée, ils sont dans des appareils qui survolent l'Atlantique. Vingt-huit équipages de C141 seront débarqués sur la base américaine de Rhein Main, en Allemagne fédérale ; vingt-six autres seront dirigés vers Torrejon en Espagne. Ils constituent le premier maillon du gigantesque pont aérien qui va être lancé quelques jours plus tard en direction de l'Arabie Saoudite.

Une grande soirée dansante qui se déroule dans un mess est brusquement interrompue par l'arrivée d'un officier. Il annonce que tous les hommes présents sont convoqués. Sans d'autres précisions. Personne ne les reverra. Ils appartiennent à des unités d'opérations spéciales, chargées de missions délicates comme des actions de commando ou la réplique à des prises d'otages. Ils seront envoyés, dans la nuit, au Moyen-Orient.

3 août. Huit heures du matin. Le Caire. Les participants à la réunion de la Ligue arabe qui devait commencer à neuf heures sont prévenus que la séance est reportée à dix-huit heures. Rien ne peut être dit ou décidé avant l'issue de la rencontre entre le roi de Jordanie et Saddam Hussein. Le monde arabe vit le regard tourné vers Bagdad.

Un appel radio, émis du Koweït occupé, lance un message désespéré : « Où sont les accords passés entre États arabes, les accords passés entre États du Golfe, les accords passés entre nations islamiques? Oh Frères par le langage et le sang, l'arabisme et l'islam ont grandi avec nous. Le Koweït vous appelle à l'aide. »

Des Koweïtiens surpris au Caire par l'invasion sortent en larmes dans les rues. A l'un d'eux, un officier égyptien déclare : « Cette situation est une honte pour le monde arabe. Nous sommes assis et nous regardons comme si rien n'était arrivé. »

Les Arabes feuillettent, incrédules, leurs journaux. Aucun ne dénonce l'occupation du Koweït par l'Irak. Les rédacteurs en chef ont reçu des ordres très stricts de leurs dirigeants. Le seul pays arabe dont la presse appuie ouvertement Saddam Hussein est la Jordanie.

A neuf heures trente, le roi Hussein, reposé, est accueilli au palais présidentiel par Saddam Hussein. La discussion va durer plusieurs heures mais aboutit à un accord. Le roi avait posé plusieurs questions précises à son interlocuteur.

– Irez-vous au mini-sommet prévu demain?

Saddam Hussein hoche la tête :

– Je serai présent.

– Quitterez-vous le Koweït?

– Oui, si les différends qui m'opposent à l'émirat sont résolus.

Plus tard, au cours de la conversation il ajoute :

– Je ne souhaite pas que des membres de la famille Al Sabah participent à ce sommet. Je préfère négocier un accord avec le roi Fahd. Mes relations avec lui ont toujours été meilleures.

Le président irakien offre à son hôte l'image d'un dirigeant empli de bonne volonté, prêt à d'importants compromis. Il aura juste un mouvement d'exaspération quand le roi évoquera les menaces de condamnation par la Ligue arabe. « Ne nous griffons pas les yeux, répond Saddam Hussein. Si les choses évoluent de cette manière, je peux dire que le Koweït est une partie de l'Irak et l'annexer. »

Puis il se penche vers le roi, baissant la voix, comme pour lui confier un secret : « Et puis... » Il marque un bref silence comme pour donner plus de poids à son argument : « ... j'ai signé avec l'Arabie Saoudite un pacte de non-agression ».

Quand les deux hommes se quittent, après une chaleureuse accolade, le roi Hussein affiche un sourire optimiste, persuadé d'être arrivé à contrôler la crise. Quelques heures plus tard, Saddam Hussein publie un communiqué où il annonce qu'il commencera à retirer ses troupes du Koweït à partir du dimanche 5 août, mais qu'il n'est pas question d'un retour de la famille royale.

Alors que Hussein quitte Bagdad pour rentrer à Ammān, le chef de l'OLP, Yasser Arafat, arrive à Tripoli venant de Tunis. Il doit se rendre ensuite en Égypte, en Irak et en Arabie Saoudite pour tenter lui aussi une médiation. La population palestinienne installée au Koweït est importante, elle occupe des postes de responsabilité et les sommes qu'elle verse à l'OLP constituent une part importante du budget de l'organisation.

A Tripoli, il découvre un Kadhafi agité, profondément perturbé par l'invasion. Il ne cesse de répéter à Arafat : « Abou (c'est le vrai nom du chef de l'OLP), il faut absolument trouver une solution pacifique. J'ai préparé un plan en deux points. »

Il s'empare d'une feuille de papier, posée sur la table devant lui et écrite de sa propre main. Arafat, vêtu d'un uniforme, son éternel keffieh sur la tête, l'écoute, le visage éclairé par un sourire bienveillant. Les rapports entre Kadhafi et les Palestiniens sont, depuis de longues années, complexes, parfois imprévisibles.

– Il faut, poursuit le colonel libyen, que l'Irak se retire d'abord jusqu'aux zones controversées, sur la frontière. Ensuite, un membre de la famille royale koweïtienne, qui ne sera pas l'émir, rentrera au Koweït, et le peuple sera alors en mesure de décider par qui il veut être dirigé.

Le deuxième terme de la proposition est irréaliste, mais Arafat ne fait aucun commentaire.

En réalité, ce 3 août, la maîtrise de la crise va peu à peu échapper totalement au monde arabe.

A la Maison-Blanche, en fin d'après-midi, Bush ouvre la réunion du Conseil national de sécurité. Il a autour de lui Richard Cheney, le ministre de la Défense, Brent Scowcroft, le chef du Conseil national de sécurité, son adjoint Richard Haas et Colin Powell, le chef d'état-major.

Le général Powell confirme au Président que toutes les options militaires sont à l'étude et lui seront présentées demain, comme prévu. Powell, cinquante-trois ans, est un vétéran du Viêt-nam qui a déjà été aussi associé à cinq crises, dont l'opération au Panama et le débarquement d'unités de Marines au Liberia pour évacuer les ressortissants américains. « Il n'y a pas, se plaît-il à affirmer, d'usage légitime de la force militaire sans objectif politique. » Bush ne peut qu'être d'accord avec cette analyse.

L'exécutif américain assis autour de la table dispose de nombreuses pièces pouvant s'emboîter dans le puzzle du Golfe : le soutien de l'ONU et de l'OTAN. Il lui manque les choix militaires et l'adhésion du monde arabe.

Questionné par George Bush sur les risques encourus par les premières troupes américaines qui seraient envoyées sur le terrain, Powell répond sans hésiter : « Ces risques sont énormes. Nos forces seront extrêmement vulnérables à une attaque irakienne. Si vous décidez finalement, monsieur le Président, d'engager des forces militaires, il faut que ce soit de manière aussi massive et décisive que possible. Choisissez votre cible, décidez de votre objectif et essayez de l'écraser. »

Bush hoche la tête mais ne formule aucun commentaire.

La réunion s'achève deux heures plus tard et tandis que ses collaborateurs vont se dégourdir les jambes il téléphone une nouvelle fois au roi Fahd. Il tente de le convaincre que selon les informations dont il dispose Saddam Hussein va maintenant marcher sur l'Arabie Saoudite.

Le roi Fahd élude, lui répond qu'il croit encore aux efforts du roi Hussein pour arriver à une solution négociée et obtenir du président irakien son retrait du Koweït. Il évoque la tenue, le lendemain dimanche 4, du mini-sommet arabe.

– Mais si les choses devenaient pires, Majesté, accepteriez-vous une aide militaire américaine ?

Le souverain reste silencieux au bout du fil, au point que Bush, persuadé que le souverain saoudien, en raison d'un problème de ligne, n'a pas entendu la question, la lui répète.

– Si les choses empirent, finit par répondre Fahd d'une voix résignée, oui, nous accepterons.

Il y a aussi dans cette crise un facteur qui exaspère profondément George Bush. Il s'est trompé parce qu'on l'a induit en erreur. Bush croit depuis longtemps à la force et à l'importance des liens personnels qui se nouent entre les leaders. Un de ses proches collaborateurs affirme qu'il « mène une véritable diplomatie personnelle », notamment en décrochant fréquemment son téléphone pour appeler un chef d'État et converser de manière informelle avec lui. « George, dit un de ses intimes, veut être considéré comme “ le cher George ” que chacun à travers le monde évoque avec sympathie parce qu'il est si chaleureux. » Or, dans l'affaire du Koweït, en dépit des rapports de plus en plus précis et alarmants qui lui parvenaient à travers les agences de renseignement, le Président américain a cru jusqu'au bout que l'Irak n'envahirait pas. Simplement parce que deux dirigeants en qui il avait toute confiance, Hussein de Jordanie et Hosni Moubarak, n'avaient cessé de le lui affirmer. Bush estimait qu'ils constituaient une source d'information plus fiable que les nombreux rapports secrets accompagnés de photos satellites qui pouvaient arriver sur son bureau dans l'heure.

L'Administration Bush avait commis au fond la même erreur d'appréciation que les dirigeants israéliens, en 1973, à la veille du déclenchement de la guerre du Kippour. Dans les deux cas, les services spéciaux disposaient de toutes les informations nécessaires pour que l'évidence s'impose, mais ces informations avaient été filtrées à travers une seule logique : l'Irak, comme autrefois l'Égypte, n'attaquerait pas.

Non loin de là, toujours à Washington, un autre homme va jouer un rôle important dans le durcissement américain. Il s'agit de John Kelly. A huit heures du matin, il est à son bureau, excédé. Le sous-secrétaire d'État chargé des affaires du Moyen-Orient cherche depuis vingt minutes à entrer en relation avec l'ambassadeur d'Égypte à Washington. Sans succès. Personne ne peut lui dire où il est. Au bout d'une demi-heure, il finit par apprendre que l'ambassadeur et son chargé d'affaires sont dans la capitale égyptienne. Il envoie alors un message directement au Caire, au ministre des Affaires étrangères. Ce qu'il transmet est d'une telle violence qu'il est peu probable qu'il ait agi sans le feu vert de ses supérieurs. « L'Occident a fait son devoir, mais les nations arabes ne font rien. Les États-Unis ont vendu beaucoup d'armes à des pays arabes, notamment à l'Égypte. S'ils n'agissent pas, ne prennent pas sur l'affaire du Koweït une position dure, à l'avenir il faut qu'ils sachent qu'ils ne pourront plus compter sur l'Amérique. »

Le Département d'État nie qu'un message ou un appel téléphonique aient été transmis au Caire ce jour-là. Mais une haute source égyptienne, une personnalité parfaitement crédible, est catégorique : elle a vu ce message.

Chez les responsables égyptiens, la stupeur est totale mais le roi Hussein ignore tout de cette intervention quand il se pose à Ammān. Il est quatorze heures dans la capitale jordanienne. Arrivé à son palais, il téléphone d'abord à son ministre des Affaires étrangères, Al Qasim, qui attend toujours l'ouverture de la séance de la Ligue arabe : « Dites à vos collègues qu'il y a un accord de Saddam Hussein pour participer au sommet de demain et pour se retirer du Koweït. »

Ensuite, il appelle Hosni Moubarak, qui séjourne toujours à Alexandrie.

Nous disposons là de deux versions. Le roi affirme qu'il a essayé, d'abord en vain, de joindre Hosni Moubarak et le roi Fahd. Puis, quand il a enfin réussi à entrer en communication avec Moubarak, il a immédiatement eu le sentiment que le président égyptien avait changé d'attitude. Il lui avait pourtant nettement rapporté la position de Saddam Hussein, pour qui le mini-sommet du lendemain pourrait aboutir à un retrait immédiat du Koweït. Moubarak confie, lui, une version quelque peu différente :

– J'ai demandé au roi Hussein : A-t-il promis de se retirer unilatéralement du Koweït ?

Selon le président égyptien, le roi Hussein aurait répondu :

– Non, mais il y viendra si une solution peut être trouvée au cours du mini-sommet, notamment s'il obtient, par l'intermédiaire des Saoudiens, des concessions koweïtiennes.

– Mais s'est-il engagé nettement à se retirer ?

– Non !

Moubarak affirme alors, qu'à travers cet échange, il fut totalement persuadé que si Saddam Hussein n'avait pas donné de garantie de retrait du Koweït, même en cas d'accord au mini-sommet, il n'était pas nécessaire que celui-ci ait lieu.

De hautes personnalités irakiennes contactées nous ont affirmé qu'au cours des réunions avec le roi Hussein, le président irakien accepta d'aller à Djeddah pour un mini-sommet le 4 août, de négocier avec le roi Fahd et, si les négociations aboutissaient, de se retirer du Koweït.

A Moscou, Dennis Ross devenait de plus en plus exaspéré. Depuis le début de la matinée, l'adjoint de James Baker, installé dans la résidence de l'ambassadeur américain, se battait pied à pied pour obtenir que soit modifié le texte du communiqué conjoint, qui devait être lu par Baker et Chevardnadze. Le projet que lui avait apporté Tarasenko, le collaborateur du ministre, était inutilisable. A la fois trop flou dans la forme et trop conciliant dans le ton. Il dit à Tarasenko :

– Il faut que vous le fassiez réécrire. Le texte doit être plus dur.

Tarasenko disparut et revint trois heures plus tard avec une version aussi imparfaite.

– Vous savez ce qui se passera, lui dit Ross après l'avoir parcouru... Si nous utilisons ce texte, nous n'enverrons pas le bon message à Saddam Hussein. Il ne verra pas que nous sommes unis et déterminés.

– Je suis d'accord, répondit Tarasenko, mais nous rencontrons des résistances. Les experts arabes, au sein de notre ministère, s'opposent à ce que nous abandonnions un partenaire de longue date comme l'Irak.

Tarasenko disparut une seconde fois et, après plusieurs nouvelles heures d'attente, il revint triomphant. Il fallait faire vite, l'avion de James Baker allait bientôt se poser. Les deux hommes s'engouffrèrent dans une limousine qui fonça vers l'aéroport de Vnukovo. Ross lut le texte qu'il trouva enfin satisfaisant. Il remarqua qu'un passage, appelant à un embargo commun sur les ventes d'armes, avait été supprimé. Il le montra du doigt à Tarasenko :

– Oh! Ce n'est rien, lui répondit le Soviétique, votre ministre en discutera avec le camarade Chevardnadze.

Ils arrivèrent juste avant l'atterrissage du Boeing à la bannière étoilée. Baker serra la main de Chevardnadze qui l'attendait au pied de la passerelle. Le Soviétique lui dit, avec un sourire gêné : « J'avais tort, Jim, quand je vous affirmais qu'il n'y aurait pas d'invasion. » Puis les deux hommes, flanqués de Ross et Tarasenko, se dirigèrent immédiatement vers un des salons de l'aéroport, sévèrement gardé. Baker prit immédiatement la parole : « Il doit être clair pour Saddam Hussein et le reste du monde que nous marchons ensemble. » Édouard Chevardnadze d'habitude si prolixe approuva sans chaleur excessive. Après avoir écouté les arguments de Baker, le ministre soviétique répondit : « Nous insistons. L'Union soviétique n'acceptera pas que vous meniez une diplomatie de la canonnière. »

Baker tenta de le rassurer : « Il n'y aura pas d'action unilatérale de la part des États-Unis, à moins que des citoyens américains soient en danger. »

Chevardnadze hocha la tête, à moitié convaincu et répéta : « Surtout pas d'opération militaire américaine. »

Djeddah. Début de soirée. Le numéro 2 irakien, Ezzat Ibrahim, arrive en Arabie Saoudite pour s'entretenir avec le roi Fahd. Au même moment, les satellites espions révèlent que des troupes d'élite irakiennes, appartenant à la Garde républicaine, viennent d'atteindre la frontière qui sépare le Koweït de l'Arabie Saoudite.

A Ammān, le roi Hussein est effondré. Il se sent humilié et profondément découragé. Une heure à peine après sa conversation avec Moubarak, il a reçu une dépêche. Le ministère égyptien des Affaires étrangères venait de publier un communiqué violent condamnant l'Irak et Saddam Hussein pour l'invasion du Koweït.

Aux yeux du souverain il s'agit là d'un élément d'une vaste conspiration ourdie par certains pays arabes pour saboter ses efforts et empêcher la tenue, le lendemain, du mini-sommet.

Cet homme, habitué à réagir et à lutter, va

rester pendant plusieurs heures seul dans son palais, n'acceptant que la présence de son frère, le prince Hassan.

« Il fallait, répète-t-il d'un ton abattu, que les Arabes fassent la preuve qu'ils pouvaient régler ce conflit par eux-mêmes. Nous ne devions pas échouer. Tout, y compris le pire, est maintenant possible. »

Dans le palais presque vide, le téléphone ne sonne pas. Aucun dirigeant n'appelle Ammān. Pendant ces heures passées seul, où il doute de tout, y compris de lui-même, le roi de Jordanie envisage même de démissionner.

Il a pu entendre les rumeurs qui montaient de la ville. Des manifestations populaires de soutien à Saddam Hussein se déroulent au cours desquelles son nom est également acclamé. Les manifestants, en majorité des Palestiniens, crient leur haine des États du Golfe : « Le Koweït n'est pas un pays, pas un peuple, pas une capitale, ni même une ville. C'est une oasis de pétrole. Ces arrogants États du Golfe refusent d'accorder la nationalité koweïtienne aux Arabes venus travailler chez eux et qui les ont servis loyalement pendant des années. Il faut que Saddam Hussein envahisse aussi l'Arabie Saoudite. »

Pour le souverain jordanien, ces manifestations de soutien sont une « amère victoire ». Alors que la nuit tombe sur les collines qui entourent Ammān, il pressent l'ampleur des déchirures qui vont marquer le monde arabe.

Au même moment, au Caire, la Ligue arabe met fin à la trêve réclamée par le roi Hussein pour aboutir dans ses efforts de médiation. Les ministres des Affaires étrangères adoptent une résolution condamnant l'Irak et réclamant le retrait inconditionnel de ses troupes sur la frontière. Sept des vingt et un membres refusent de voter cette résolution. Ce sont – outre l'Irak – la Jordanie, la Libye, le Yémen, le Soudan, Djibouti et l'OLP. Juste avant le vote, le ministre libyen des Affaires étrangères s'est éclipsé de la salle.

Les délégués n'ignorent pas que de fortes pressions américaines se sont exercées sur Moubarak tout au long de la journée, à l'image de l'intervention de John Kelly. L'Égypte est le pays, avec Israël, qui bénéficie de la plus forte aide financière américaine : plus de 2 milliards de dollars par an.

Bien que la résolution votée appelle aussi à l'organisation d'un sommet arabe pour « discuter de l'agression et chercher les moyens d'aboutir à une solution permanente », tout espoir immédiat d'un règlement arabe s'est évanoui. Saddam Hussein, selon le souverain jordanien, se déclarait prêt à discuter de son retrait du Koweït, au cours d'un mini-sommet, à condition que la Ligue arabe ne le condamne pas : ce mini-sommet qui devait se tenir le lendemain 4 août est, de fait, annulé.

CHAPITRE VII

Des rapports parvenus au début du 4 août signalent que des troupes irakiennes ont pénétré dans la « zone neutre » entre le Koweït et l'Arabie Saoudite et prennent position à un kilomètre de la frontière saoudienne. A Fort Meade, au siège de la National Security Agency, les photos obtenues des satellites espions, qui photographient désormais chaque kilomètre de la zone de crise, montrent que cent mille soldats des troupes d'élite irakiennes sont maintenant massés. Ils appartiennent au 3e corps d'armée et à la Garde républicaine qui assure également la protection personnelle de Saddam Hussein. Ce corps dispose de 8 divisions de 30 à 33 brigades.

Une étude secrète sera transmise aux principaux responsables de l'Administration. Elle évalue les dangers représentés par ces forces.

« Une invasion par l'Irak de l'Arabie Saoudite impliquerait une opération militaire beaucoup plus large et plus profonde que celles conduites jusqu'ici par les forces terrestres de

Bagdad. Les objectifs clés de cette invasion seraient les ports et les aérodromes à proximité de Dharan (un des principaux centres pétroliers) situé à trois cents kilomètres de la frontière koweïtienne, avec comme objectif suivant la capitale de l'Arabie Saoudite, Riyād. Cette zone contient toutes les cibles économiques vitales dont la capture fermerait les accès des Saoudiens au golfe Persique et entraverait l'arrivée des renforts américains. »

L'étude, envisageant les différentes offensives qui pourraient être conduites en territoire saoudien par cette Garde républicaine, se terminait sur un surprenant parallèle historique.

« L'excellente réputation des troupes de la Garde républicaine pourrait être un important facteur de vulnérabilité. Leur destruction ou une sévère défaite provoquerait un choc considérable pour le moral du reste de l'armée et pourrait précipiter sa désintégration. Il ne serait pas inconcevable que les forces irakiennes réagissent de la même manière que la grande armée française, à Waterloo, quand elle apprit la retraite de la vieille garde de Napoléon. Le cri " La garde recule " provoqua la panique à travers toute l'armée française et aboutit à son effondrement immédiat. »

Dans le cadre champêtre de Camp David, la résidence d'été des présidents, au milieu des monts Catoctins, s'ouvre la deuxième réunion organisée par George Bush en moins de vingt-quatre heures. Elle débute comme la précédente à huit heures du matin. Outre Brent Scowcroft, Richard Haas et le général Colin Powell, déjà présents la veille, il y avait le secrétaire général de la Maison-Blanche, John Sununu, le ministre des Finances, Nicholas Brady, le directeur de la CIA, William Webster, et le secrétaire d'État James Baker, rentré de Moscou dans la soirée. Installés dans un chalet en rondins, autour d'une table de chêne, la plupart des participants avaient abandonné costumes stricts et cravates sombres pour des tenues plus détendues. Comme s'ils venaient passer un long week-end, à l'écart de toute agitation.

En réalité, ils étaient au cœur d'une crise qui ne cessait de s'amplifier.

Quelques experts militaires convoqués à la réunion commencèrent par un briefing. Le sujet : « La situation telle qu'elle existe sur le terrain et ce que nous pouvons faire. »

L'hypothèse d'actions clandestines, destinées à déstabiliser le régime irakien ou à supprimer Saddam Hussein, fut évoquée, mais aucun plan ne fut discuté. Après avoir terminé leurs exposés, les militaires quittèrent la salle et George Bush demanda alors l'avis de chacun des participants. Tout tournait autour des options militaires. Il était clair qu'un déploiement militaire américain dans le Golfe ne pouvait être mis en œuvre sans le soutien des pays arabes et particulièrement de l'Arabie Saoudite. Or, Riyād n'était pas prêt à donner son feu vert. Pour deux raisons : les Saoudiens s'accrochaient encore à la possibilité d'un règlement arabe ; ils étaient profondément mal à l'aise à l'idée de la présence de troupes américaines sur leur sol.

Les dernières nouvelles sur les troupes irakiennes se massant à la frontière avec l'Arabie Saoudite constituaient à la fois une inquiétude supplémentaire mais surtout un atout dans la négociation avec le roi Fahd. George Bush le dit clairement. Depuis le début de la crise, il se montrait fréquemment irrité, à la fois déçu par la lenteur de la réponse internationale et furieux de voir que l'Irak se livrait à une répression violente au Koweït.

Quand Colin Powell prit la parole, il se cala dans son fauteuil, les traits figés, mains jointes, le bout des doigts touchant son nez : l'option militaire.

Depuis le 2 août, le général Norman Schwarzkopf, surnommé « l'Ours » en raison de son physique imposant, ne dormait plus que quelques heures par nuit. Il avait également augmenté sa consommation de cigares. Il ne quittait pratiquement pas son quartier général de Mac Dill, une base de l'US Air Force installée en Floride. Schwarzkopf, un ancien joueur de football, considéré à West Point comme un « excellent connaisseur de la vie », était le patron du CENTCOM, le Central Command. Les stratèges du Pentagone divisaient le monde en zones d'intervention. Celle couverte par le CENTCOM s'étendait sur vingt-six millions de kilomètres carrés du Kenya au Pakistan. Soixante-dix pour cent de toutes les réserves mondiales de pétrole étaient situées dans les régions dont ce général 4-étoiles, bourru et jovial, avait la responsabilité.

Depuis le début de la crise il travaillait en liaison constante avec l'état-major et Colin Powell. L'objectif qui lui avait été assigné était clair : adapter le fameux plan secret 90-1002, conçu par l'Administration Carter pour une intervention militaire dans le Golfe, à une défense massive de l'Arabie Saoudite.

« L'Ours » et les officiers qui l'entouraient étaient confrontés à de multiples problèmes. D'abord l'absence de bases sur le territoire saoudien, puis les températures dans le désert qui dépassaient en permanence les 50 degrés et rendaient plus difficiles encore les combats. Autres motifs d'inquiétude : comment parer à l'utilisation par les Irakiens d'armes chimiques ou éviter que les premières troupes débarquées, trop vulnérables, ne soient victimes d'un carnage avant que les chars et le matériel lourd n'aient été acheminés pour les protéger ?

Une intervention dans la zone du Golfe était probablement le défi le plus difficile auquel se trouvaient confrontés les responsables militaires américains depuis la guerre du Viêtnam. Dans la dernière semaine de juillet, un exercice baptisé « Drapeau guerrier 90 » avait été organisé pour tester les capacités des chefs de l'armée à communiquer entre eux à travers le monde. L'opération était orientée vers le Moyen-Orient mais, malgré les tensions croissantes, l'Irak, le Koweït et l'Arabie Saoudite n'avaient pas été mentionnés. Pour ménager toutes les susceptibilités, le général Colin Powell, dans un geste d'extrême pudeur diplomatique, demanda même que les cartes soient délibérément coupées et modifiées : il ne subsistait ainsi plus aucune ressemblance, frappante ou gênante, avec des pays de la région.

A la base de Mac Dill et au Pentagone, des ordinateurs géants fonctionnaient vingt-quatre heures sur vingt-quatre, recevant en permanence de nouvelles données. Un plan informatique géant au nom de code sybillin, TPFD – Time Phase Force Deployment –, était en cours d'élaboration. Il contenait le détail des forces et des équipements qui seraient envoyés, les moyens utilisés pour les acheminer, l'ensemble des systèmes perfectionnés de communication pour coordonner cette opération, et aussi les besoins en défense aérienne, eau potable, logements, adaptés au désert saoudien.

Schwarzkopf et Powell étaient deux produits de la guerre du Viêt-nam. Prudents l'un et l'autre quant à l'usage de la force, ils étaient convaincus qu'une opération militaire n'avait de chance de réussir que si elle était menée avec d'énormes moyens, sur une grande échelle, et appuyée par une volonté politique sans faille.

Quand on pénètre dans le bureau du chef

d'état-major inter-armes, on découvre, placée en évidence, une carte blanche, intitulée « les règles de Colin Powell », où sont énumérés treize adages. L'un d'eux dit : « Soyez prudent avec ce que vous choisissez. Vous pouvez l'obtenir. »

Ce matin-là, à Camp David, avant de prendre la parole devant George Bush et les membres de son Administration, Powell avait en main toutes les données que lui avait fournies Schwarzkopf.

« Monsieur le Président, dit-il, si vous décidez d'une action militaire, engagez nos forces massivement et de façon adaptée. Il est clair que Saddam Hussein ne cherche pas un affrontement avec les États-Unis. Il est brutal mais pas irrationnel. Il sait qu'il perdrait une guerre engagée sur une grande échelle avec l'Amérique. En cas d'intervention militaire, des forces conséquentes doivent être immédiatement acheminées en Arabie Saoudite pour bien montrer notre détermination de défendre le royaume. Le déploiement doit également être suffisamment impressionnant pour que Saddam Hussein sache qu'attaquer l'Arabie Saoudite équivaudrait à attaquer les Américains. Le plan 90-1002 doit permettre un contrôle aérien et maritime et l'acheminement de troupes terrestres en nombre suffisant pour dissuader mais aussi pour combattre. Aucune nation n'a tiré avantage d'un conflit prolongé. »

C'était le langage que le Président américain souhaitait entendre. Après un rapide tour de table pour recueillir les avis, Bush prit sa décision : feu vert de principe pour la mise en application du plan 90-1002, et l'envoi à l'autre bout de la planète de l'armada la plus gigantesque depuis la guerre du Viêt-nam. Dès cet instant, dit un témoin, le Président « était devenu un véritable faucon », laissant seulement à Colin Powell le soin des détails. Les premières troupes ne partiraient qu'au début de la semaine suivante et jusque-là l'initiative resterait totalement secrète.

Il fallait encore lever un dernier obstacle de taille, obtenir l'accord de l'Arabie Saoudite. Bush demanda à Cheney, le ministre de la Défense, de se préparer à partir le lendemain pour Djeddah; Brent Scowcroft suggéra qu'il soit accompagné de Robert Gates, le numéro 2 du Conseil national de sécurité, qui était auparavant le directeur-adjoint de la CIA. Le général Schwarzkopf serait également du voyage.

A dix heures trente la réunion s'acheva et il fut décidé qu'une ultime conférence aurait lieu le lendemain dimanche, dans l'après-midi, à la Maison-Blanche.

Au même moment, Yasser Arafat rencontrait Moubarak. Le président égyptien était tendu et ne cessait de répéter d'un ton exaspéré : « L'Irak doit se retirer. » Il évoqua sa conversation, la veille, avec le roi Hussein qui rentrait de Bagdad. Moubarak parlait comme s'il cherchait à justifier à tout prix sa position.

« Je lui ai demandé s'il avait discuté avec Saddam Hussein de son retrait du Koweït. Il m'a répondu " non " ; qu'ils avaient seulement évoqué la tenue d'un mini-sommet à Djeddah aujourd'hui, qui devait réunir le roi Fahd, le roi Hussein, moi-même et Saddam Hussein qui avait donné son accord. Je lui ai répondu que je n'irais pas s'il n'y avait pas une promesse de Saddam Hussein de se " retirer ". »

Les propos de Moubarak contredisaient ceux du roi de Jordanie qui affirmait que le président irakien lui avait assuré qu'il se retirerait si un accord pouvait être trouvé au cours du sommet.

Tout au long de la discussion, Moubarak parut gêné, probablement parce que plus personne n'ignorait, à travers le monde arabe, qu'il avait été soumis à de fortes pressions américaines. A un moment, il confia à Arafat :

– Une opération militaire va être lancée contre l'Irak entre le 12 et le 18 août.

Le chef de l'OLP, surpris, ne lui demanda pas d'où il tenait ses sources. Arrivés au terme de leur discussion, Arafat dit :

– Vous devriez aller en Arabie Saoudite et en Irak.

Moubarak répondit immédiatement, le visage fermé :

– Allez-y d'abord...

Il réfléchit quelques instants avant d'ajouter :

– Oui, allez-y et voyez si Saddam est prêt à se retirer. Alors j'irai à mon tour.

A vingt heures, le roi Fahd devisait avec quelques proches dans les jardins de sa résidence, à Djeddah, quand un de ses collaborateurs traversa la pelouse et s'approcha avec déférence.

– Majesté, le Président des États-Unis est au téléphone.

Bush l'appelait de Camp David où il était treize heures. Les premiers mots qu'il dit à Fahd furent textuellement ceux que lui avait adressés Margaret Thatcher, à Aspen, deux jours plus tôt :

– Majesté, vous savez, il ne s'arrêtera pas.

Il lui fit part des derniers renseignements qu'il venait de recevoir sur les concentrations de troupes à la frontière saoudienne. Fahd paraissait inquiet, désorienté, et il fut cette fois beaucoup plus réceptif aux propositions du Président américain. « Jusqu'ici, affirmait un membre de la Maison-Blanche, la peur paralysait les Arabes. » Aujourd'hui cette peur devenait un atout dans la stratégie de Bush auprès du royaume saoudien. La conversation entre les deux dirigeants dura un long moment. L'armée saoudienne, avec ses soixante-cinq mille hommes, ne pouvait envisager de s'opposer à la puissance de feu irakienne ; les troupes de Bagdad massées à la frontière, précisa Bush, étaient des unités d'élite en posture offensive (ce qui par la suite se révéla inexact). Il fallait absolument que le royaume envisage sa défense et Washington pouvait fournir un soutien militaire conséquent. Le Président proposa au roi Fahd d'envoyer le ministre américain de la Défense, « porteur d'une liasse de rapports des services de renseignement prouvant le danger d'une invasion irakienne, et aussi avec des plans précis exposant les possibilités de déploiement militaire américain sur le territoire de votre royaume ».

Fahd accepta la venue du chef du Pentagone, Richard Cheney, mais demanda à Bush encore vingt-quatre heures de réflexion avant de donner son accord à une présence américaine.

George Bush, à l'issue de cette conversation, était plus confiant. Il passa une grande partie du reste de la journée à téléphoner, toujours de Camp David, à ses principaux collaborateurs et à des chefs d'État étrangers. Il appela notamment le président Ozal à Ankara.

La Turquie, alliée de l'OTAN, était aussi le pays par lequel transitaient 1,6 million de barils par jour, la moitié des exportations irakiennes de pétrole. Mille trois cents kilomètres de pipelines partaient des champs pétrolifères de Kirkouk pour aboutir aux terminaux de Yumurtalik sur la côte méditerranéenne. Les responsables turcs vivaient cette crise avec embarras. Le transit du pétrole irakien rapportait chaque année 300 millions de dollars à leur économie et Bagdad fournissait également les deux tiers des besoins en énergie de la Turquie. Même si la presse nationale condamnait unanimement l'invasion, en privé des officiels se montraient hésitants. Chaque pas vers un des deux camps pouvait coûter cher. Bush expliqua à Ozal qu' « une coopération internationale contre l'Irak reposait pour une large part sur l'interruption des exportations de pétrole ». Il ajouta qu'il venait de faire la même démarche auprès des Saoudiens qui avaient, eux, accepté.

C'était une affirmation prématurée. Bush préférait attendre que toutes les questions militaires soient réglées pour aborder ce problème avec Riyād. L'Arabie Saoudite était le second front pétrolier par lequel transitait l'autre moitié des exportations de Bagdad.

Ozal, un homme corpulent au visage rond chaussé de lunettes, était un habile manœuvrier. Il estimait qu'il lui fallait gagner un peu de temps pour voir comment la situation évoluerait. Tout en l'assurant de son soutien, il ne prit aucun engagement ferme auprès de Bush et il omit de lui préciser qu'il accueillerait le lendemain un émissaire envoyé par Saddam Hussein. Après avoir raccroché, Ozal téléphona à l'adversaire mortel de l'Irak, le président iranien Rafsandjani. Le même jour, des informations émanant de sources officielles à Téhéran révélèrent que Saddam Hussein aurait pris contact avec Rafsandjani, deux semaines plus tôt, pour négocier la neutralité de l'Iran en cas d'invasion du Koweït.

A Ammān, le roi Hussein prononce un mot qui l'isole encore plus de la majorité du monde arabe et de son allié américain. Après avoir critiqué l'attitude des pays de la région et leur condamnation de l'Irak, il ajoute : « Saddam Hussein est un patriote. »

Le dimanche 5, Yasser Arafat rencontre Saddam Hussein à Bagdad. Le chef de l'État irakien se dit « choqué » que le mini-sommet prévu ait été annulé. Il demande même à Arafat : « A ton avis qui l'a saboté ? » Ce jour-là, dans ses attitudes et ses propos, Saddam Hussein est un étrange mélange d'amertume et de détermination. Il parle longuement du Koweït, se justifie et évoque sa déception devant les réactions arabes. Mais Arafat, en l'observant, constate que son moral n'est pas le moins du monde entamé. Saddam est calme, parfois enjoué, se laissant même aller à quelques plaisanteries.

– Une solution politique est absolument nécessaire, lui dit Arafat.

– Je suis tout à fait d'accord...

Saddam reste silencieux quelques instants, avant d'ajouter :

– Va voir les Saoudiens et dis-leur que nous sommes prêts à discuter.

Le même jour, une réunion secrète du comité de défense ministériel israélien se réunit à Jérusalem.

Le Premier ministre, Shamir, est d'humeur maussade. Les « relations spéciales » existant entre Washington et l'État hébreu sont au plus bas.

Shamir vient de confier à ses proches, d'un ton désabusé : « Bush a téléphoné à tous ses alliés et pratiquement à tous les dirigeants de la région, à l'exception de la Libye, de l'Irak, de l'Iran, de l'OLP... et d'Israël. » Pour les dirigeants de Jérusalem, l'attitude de l'Administration Bush est un sujet d'inquiétude. A leurs yeux, la position américaine est claire : tenir Israël à l'écart et exiger qu'il conserve un profil bas afin de ne pas disloquer la coalition arabe hostile à l'Irak qui est en train d'être formée. Toutes les propositions de coopération, notamment en matière de renseignement, adressées par Jérusalem à Washington sont restées jusqu'ici sans réponse.

La réunion secrète s'ouvre dans un climat morose. Le ministre de la Défense, Moshe Arens, estime que « nous devons nous réserver le droit d'intervenir si la situation géostratégique du Moyen-Orient est bouleversée ou si la Jordanie est envahie ».

Le chef d'état-major, le général Dan Shomron qui avait dirigé l'opération victorieuse d'Entebbe, est présent, ainsi que les principaux responsables des services de renseignement. Personne ne croit à une invasion de l'Arabie Saoudite. « L'ampleur des réactions internationales, estime l'un des participants, rend improbable une telle attaque. » En revanche, l'éventualité de forces irakiennes massées à la frontière jordanienne est une hypothèse considérée comme plausible et qui inquiète. Des missiles irakiens sont en passe d'être acheminés à la frontière jordanienne et pourraient frapper Jérusalem ou Tel-Aviv en quatre minutes.

« Il faut, dit Shamir, que nous augmentions

nos possibilités d'acquérir des informations en Irak, des informations obtenues à un haut niveau de décision et qui nous permettront d'être informés en temps réel et non le lendemain ! »

Les chefs des services spéciaux accusent le coup. Depuis le 2 août, les controverses, notamment dans la presse, ne cessent de s'amplifier sur le rôle et les lacunes du renseignement israélien au cours de cette crise. Alors, durant la réunion, patiemment, méticuleusement, la tactique de Saddam Hussein est disséquée, et on y découvre d'étranges parallèles.

En 1980, à la veille de l'offensive irakienne contre la péninsule de Fao qui allait marquer le début de la guerre Iran-Irak, Saddam était allait inspecter des troupes sur un front éloigné pour créer l'impression que l'attaque se produirait dans une région différente. Dix ans plus tard, il avait invité les attachés militaires étrangers en poste à Bagdad à se rendre sur la frontière avec le Koweït pour observer ses deux divisions qui y étaient stationnées. Les Irakiens avaient ainsi remarquablement brouillé le jeu. Qui pouvait croire qu'un pays invitant des experts étrangers à observer son dispositif militaire se prépare à une invasion ? Immédiatement après le retour à Bagdad de ces attachés militaires, Saddam Hussein avait alors donné l'ordre au gros de ses troupes de faire mouvement vers l'émirat, tandis que les ambassades occidentales et arabes envoyaient à leurs capitales des télégrammes apaisants et optimistes.

Un fait paraissait maintenant évident : Israël manquait cruellement d'un satellite militaire capable de détecter au loin des mouvements de troupes ennemies. Il fallait rapidement demander l'aide des Américains pour la réalisation d'un tel projet.

A l'issue de cette réunion, le ministre des Affaires étrangères s'enferma avec Shamir et Moshe Arens. David Levy partait le lendemain pour Washington et il s'agissait de mettre au point le détail de la position israélienne sur tous les sujets qui allaient être discutés. Ce voyage tombait parfaitement bien. Il permettrait de sonder les intentions américaines sur la crise du Golfe. Quelques heures plus tard, Shamir et Levy affichaient un visage consterné : James Baker venait de les informer qu'il reportait d'un mois la visite du ministre des Affaires étrangères d'Israël.

En fin d'après-midi, l'hélicoptère ramenant George Bush de Camp David se pose sur la pelouse de la Maison-Blanche. Il descend de l'appareil, le visage absorbé, lisant une note que vient de lui tendre Richard Haas, le spécialiste des affaires du Moyen-Orient au Conseil national de sécurité, qui marche à ses côtés. Le texte griffonné précise : « Le président turc Ozal est au téléphone. » Des journalistes présents à proximité l'interpellent. Bush hésite un bref instant puis s'approche d'eux, nerveux : « L'occupation du Koweït ne durera pas. »

Malgré le partenaire important qui l'attend au bout du fil, Bush va répondre pendant vingt minutes aux journalistes. A un moment, il va même se mettre en colère. Il déclare :

– Nous avons le soutien du monde arabe.

Une journaliste lui répond :

– Comment pouvez-vous affirmer une chose pareille alors que l'on voit partout en première page des journaux la photo de Saddam Hussein avec le roi de Jordanie?

Bush, tendu, réplique :

– Je sais lire. Quelle est votre question?

Il gagne ensuite le bureau ovale. Des messages de soutien et des télégrammes, envoyés de toutes les régions des États-Unis, sont parvenus à la présidence. Les textes de certains sont lapidaires : « Foncez »; ou bien : « Virez-le ». En les découvrant, un des collaborateurs de George Bush confie : « L'Amérique est un pays impatient. »

Richard Cheney, le ministre de la Défense, vient de quitter Washington pour l'Arabie Saoudite, puis l'Égypte. La rencontre avec Fahd est considérée comme déterminante. « Notre argumentation envers les Saoudiens, dira un des membres de la Maison-Blanche, est nette : " Écoutez, c'est un type qui vous a menti cinq jours plus tôt sur ce qu'il allait faire. Maintenant il n'y a pas davantage de raisons de le croire. Vous connaissez le dicton : Brûlé une fois, honte à lui; brûlé deux fois, honte à nous. " »

Une autre confidence faite par un haut responsable éclaire les objectifs américains : « L'occupation du Koweït n'est pas en elle-même une menace pour les intérêts américains. La vraie menace réside dans le pouvoir que posséderait l'Irak détenant 20 % des ressources mondiales de pétrole, contrôlant l'OPEP, dominant le Moyen-Orient, menaçant Israël et voulant acquérir une bombe atomique. »

En début de soirée, Bush totalise un impressionnant record : il a passé en quatre jours vingt-trois coups de téléphone à douze dirigeants étrangers, parfois au rythme d'un appel toutes les deux heures. Avant de regagner ses appartements, il joint Colin Powell. Le chef d'état-major reçoit l'autorisation du Président américain de commencer à rassembler la totalité des forces qui seront éventuellement envoyées en Arabie Saoudite. Peu après, Bush accueille une dernière fois James Baker et Brent Scowcroft pour discuter avec eux de l'ultime écueil : la réaction soviétique.

Bush a prévu de donner le feu vert définitif pour l'envoi des troupes, lundi soir après la rencontre entre Richard Cheney et le roi Fahd; les premières forces partiront mardi matin mais le Président souhaite attendre mercredi pour l'annoncer publiquement.

Les trois hommes tombent d'accord. Placer Moscou devant le fait accompli serait un désastre. Si Gorbatchev critique publiquement le déploiement, c'est tout l'effort engagé pour faire voter des sanctions à l'ONU qui risque d'être compromis. Le vote au siège de l'organisation internationale doit se dérouler demain après-midi ; Scowcroft suggère que ce délai « court mais suffisant » soit utilisé pour informer et rassurer Moscou sur les intentions américaines. « Nous pouvons, dit Scowcroft, utiliser cette situation d'urgence pour cimenter plus rapidement les relations soviéto-américaines. » Il est décidé que Baker, jouant sur le décalage horaire, appellera Chevernadzé à Moscou en fin de soirée.

Scowcroft, Powell et Baker, les trois hommes constamment en première ligne dans la gestion de cette crise et qui composent un véritable cabinet de guerre, ont des personnalités contrastées.

Colin Powell, comme le dit un de ses proches, est « un véritable rêve pour publicitaire » ; et aussi l'incarnation parfaite du « rêve américain ». Fils d'immigrants jamaïcains, il a grandi dans les quartiers les plus défavorisés d'Harlem et du Sud du Bronx. Sa scolarité a été médiocre. A l'école primaire il avait été placé dans les classes « lentes » réservées aux élèves ayant des difficultés à suivre. Entré à l'armée, il va s'illustrer au Viêt-nam où il recevra onze médailles. Ses positions dures sur la « menace » soviétique le feront remarquer par l'entourage de Reagan. L'immigrant de couleur entre alors à la Maison-Blanche et négocie habilement la transition Reagan-Bush. Nommé chef d'état-major et général à 5 étoiles il affirme, un brin provocant : « J'ai gravi les échelons de l'armée sans jouer au bridge, au golf ou au tennis. »

James Baker, troisième du nom ainsi qu'il aime à le préciser, est, à l'opposé, un héritier, comme son meilleur ami George Bush. Ce dernier fit ses études à l'université de Yale, Baker, lui, à Princeton. L'argent familial provenant d'un important cabinet d'avocat de Houston lui permet de se lancer avec réussite dans les affaires et dans la politique. Secrétaire général de la Maison-Blanche sous Ronald Reagan, puis ministre des Finances, il ne cesse de fréquenter le futur Président : dîners, week-ends, parties de pêche. Si son ton est aussi mesuré que celui de Bush, ses répliques sont souvent plus incisives et parfois il laisse même transparaître une surprenante émotion.

Brent Scowcroft est un compromis entre ces deux hommes. A soixante-cinq ans, cet ancien général de l'armée de l'air, taciturne, défini comme un « militaire intellectuel », est un esprit incisif. Profondément loyal à Bush, il a vécu de près les nombreux conflits de compétence qui ont opposé sous les diverses présidences les chefs du Conseil national de sécurité – sa fonction – aux secrétaires d'État. Il sait que les seconds ont souvent triomphé et c'est probablement pourquoi il a choisi de conserver un profil bas face à la personnalité de Baker, plus assoiffée de reconnaissance médiatique. Mais Scowcroft est un homme clé, une véritable éminence grise, quelque chose dont il a probablement hérité de son mentor et ancien patron, Henry Kissinger. Depuis les débuts de la crise, il n'a pratiquement jamais quitté le Président, préparant ses discours et ses déclarations, analysant en détail les rapports des services de renseignement et évaluant soigneusement les risques et les coûts de chaque choix.

6 août. Édouard Chevardnadze passe quelques jours de vacances dans une datcha en Crimée. Détendu, en chemisette, il est seul dans l'habitation lorsque le téléphone sonne. Un de ses collaborateurs l'appelle de Moscou.

– Le secrétaire d'État américain veut vous parler.

Dix minutes plus tard Baker est au bout du fil, la voix enjouée.

– Chev, comment se déroulent vos vacances? Avez-vous beau temps?

Après un échange d'amabilités, le ton de l'Américain change :

– Nous allons devoir envoyer des troupes dans le Golfe. A la demande de l'Arabie Saoudite, ajoute immédiatement Baker.

Il évoque aussi les derniers rapports des services de renseignement sur la poursuite du renforcement militaire irakien, au Koweït et à la frontière saoudienne où près de cent mille hommes sont désormais massés. Chevardnadze l'écoute sans un mot. Baker précise :

– Nous vous donnons l'assurance que nous

ne cherchons pas à profiter de la situation pour accroître notre influence dans la région.

– Votre appel, Jim, a quel objet? Nous consulter ou nous informer?

La voix de Chevardnadze est glaciale.

– Nous vous informons, répond Baker, embarrassé, parce que je ne pense pas qu'il y ait là quelque chose que nous puissions faire ensemble. Ou alors voudriez-vous y réfléchir? Je n'ai pas l'autorité pour le proposer, mais envisageriez-vous de coopérer par l'envoi de forces navales ou terrestres?

Chevardnadze ne répond rien et le secrétaire d'État reformule sa question. En fait, Baker a déjà évoqué cette hypothèse la veille avec les dirigeants saoudiens qui n'ont pas manifesté d'opposition à une présence soviétique.

– Chev, que pourrions-nous faire pour coopérer sur ce problème?

– Pourquoi ne pas travailler au sein du comité militaire des Nations Unies?

Depuis des années les Soviétiques tentent en vain de réactiver cet organisme tombé en déshérence au sein de l'organisation internationale.

Immédiatement après cette discussion, Baker en parle à Bush; l'idée d'un engagement militaire soviétique dans la crise du Golfe le séduit. Bush se dit intéressé et appelle immédiatement Colin Powell. Le chef d'état-major n'a pas d'objection à une telle initiative.

Baker rappelle Chevardnadze, enthousiaste.

– Le Président Bush ne voit aucun obstacle

à une présence navale ou terrestre de l'Union soviétique dans cette région.

– Bien, dit Chevardnadze, dont la position semble plus réservée. Si le Président Bush est vraiment intéressé, je vais en discuter avec le président Gorbatchev.

En fait, il s'agit d'une proposition diplomatiquement révolutionnaire qui ne va satisfaire personne.

« C'est une avancée majeure, affirme Baker à son entourage. Il y a d'abord eu ce communiqué commun, lu à Moscou, où l'URSS rompait avec un de ses plus vieux alliés en le condamnant. Aujourd'hui nous proposons aux Soviétiques de devenir politiquement et militairement impliqués dans le Golfe. »

Mais dès que le détail de cette proposition filtre en dehors du cercle étroit des collaborateurs de Baker, un véritable vent de fronde agite le Département d'État. Depuis plusieurs décennies, l'objectif de la diplomatie américaine était de maintenir à tout prix les Soviétiques hors du Moyen-Orient. L'initiative de Baker brise ce dogme. Des mémos inquiets ou furieux, émanant de diverses directions du ministère, arrivent sur le bureau du secrétaire d'État. La bureaucratie du Département d'État va trouver un allié inattendu dans les Soviétiques. Gorbatchev n'accueille pas avec gratitude la proposition américaine. L'ampleur des difficultés internes auxquelles il doit faire face et le souvenir cuisant de l'incursion en Afghanistan incitent la direction du Kremlin à la prudence et à l'attentisme.

– Cette offre est un témoignage de bonne foi, dira, quelques jours plus tard, Baker à Chevardnadze.

– Merci, répondra, lapidaire, le Soviétique. Nous y avons été sensibles.

Le même jour, en fin de matinée, Arafat revient au Caire où il est rejoint par le numéro 2 de l'OLP, Abou Iyad. Ils sont reçus par Moubarak. Arafat lui raconte son entretien de la veille avec Saddam Hussein. « Il est vraiment prêt à négocier. » Il ajoute qu'il redoute de plus en plus une confrontation militaire. Selon Abou Iyad une intervention israélienne est possible. Moubarak paraît devenu de plus en plus hostile à l'Irak et opposé à tout compromis. La position dure qu'il affiche désormais est, pour le chef de l'OLP, le résultat de la violente offensive politique et médiatique lancée par les États-Unis. Les deux Palestiniens prévoient alors de s'envoler pour l'Arabie Saoudite, le dernier pays qui puisse agir en faveur d'une solution négociée.

A Djeddah, Richard Cheney achève de mettre au point l'accord conclu avec le roi Fahd. En fait, l'ancien représentant de l'État du Wyoming devenu patron du Pentagone est moins, dans cette affaire, un négociateur qu'un messager. Il n'était que le deuxième choix de Bush à ce poste clé. Sa nomination avait été suggérée et appuyée par Brent Scowcroft. Cheney souffre de problèmes cardiaques et quand Scowcroft l'avait rencontré pour discuter de son éventuelle nomination, la première question posée abruptement par l'ex-général avait été : « Dick, comment est votre santé ? »

Les conversations téléphoniques entre Bush et le souverain saoudien ont largement préparé le terrain. Le général Schwarzkopf et Robert Gates, numéro 2 du Conseil de sécurité, sont présents aux entretiens ainsi que le prince sultan, frère de Fahd, ministre de la Défense, rentré d'urgence de convalescence au Maroc, et Abdullah Bin Abdullaziz, héritier du trône, vice-Premier ministre et commandant de la garde bédouine. Abdullah est – depuis toujours – plus réticent envers les États-Unis que Fahd. Il est l'homme à convaincre. Il examine attentivement les rapports des services secrets américains et les photos satellites révélant le détail des forces irakiennes concentrées au Koweït et sur la frontière saoudienne ; il discute longuement avec Schwarzkopf et Cheney des lieux de stationnement éventuels des troupes américaines.

– Voilà, dira Cheney, l'ensemble de ce que nous pouvons vous offrir et vous fournir.

– Bien, finira par répondre Fahd, je prends la totalité.

Les dirigeants saoudiens ont posé un préalable avant de donner leur accord définitif : « Il est hors de question que des bases militaires américaines soient installées en permanence sur notre territoire. »

La délégation américaine a prévu cette objection et propose un protocole secret : retrait du territoire saoudien dès que les événements le permettront, mais installation de bases permanentes, abritant des troupes des États-Unis et de la force multinationale, dans l'émirat de Bahreïn, à quelques dizaines de kilomètres des côtes de l'Arabie Saoudite, ainsi qu'à l'intérieur du Koweït libéré.

Les Américains tablent sur le malaise éprouvé par les dirigeants saoudiens. Il y a d'abord le problème que pose le roi Fahd, de plus en plus paralysé par l'inaction. « Au fur et à mesure que les problèmes surgissent, le souverain s'en éloigne », confie un de ses proches, désabusé. Fahd se retire de plus en plus fréquemment dans son palais, solitaire, évitant ses conseillers et ses parents. Les dirigeants saoudiens ont pris aussi la mesure de leur fragilité : ils ont acheté au cours des dernières années pour plus de 150 milliards de dollars d'armement sophistiqué et pourtant ils doivent admettre qu'ils seraient incapables de résister à l'offensive d'un pays puissamment armé comme l'Irak. Djeddah a jusqu'ici utilisé ses formidables revenus pétroliers, près de 50 milliards de dollars par an, à tenter de forger des alliances régionales et à neutraliser d'éventuels ennemis. La crise du Golfe révèle les limites de cette stratégie.

Au moment où s'ouvraient à Djeddah les négociations entre Saoudiens et Américains, à

Bagdad Saddam Hussein recevait le chargé d'affaires américain, Joseph Wilson. Le diplomate, âgé d'une quarantaine d'années est accueilli par un président irakien détendu qui lui lance :

– Alors, quelles sont les nouvelles politiques et diplomatiques ?

Wilson se tourne vers le ministre de l'Information présent à l'entrevue.

– Votre ministre, grâce à CNN [1], a plus d'informations que moi.

Saddam Hussein :

– Je vous ai demandé d'examiner les derniers événements survenus depuis notre rencontre avec votre ambassadeur. Après cette entrevue, la négociation entre nous et l'ancien gouvernement du Koweït s'est soldée par un échec. Ce qui devait arriver est arrivé.

Wilson :

– Votre ministre m'en a informé précédemment.

Saddam Hussein :

– Je connais en détail la position américaine. Nous savons bien que dès qu'il se passe quelque chose dans le monde arabe, en Europe, en Asie ou en Amérique latine, les États-Unis prennent toujours position. Cela ne nous surprend pas de voir les Américains condamner une action de ce genre, surtout s'ils ne sont pas partie prenante. Pourtant, les États-Unis doivent prendre garde à ne pas

1. Chaîne de télévision américaine (Cable News Network) qui diffuse de l'information vingt-quatre heures sur vingt-quatre.

suivre de mauvais conseils. Ils se trouveraient alors dans une position délicate.

« Je suis sûr que vous avez pris connaissance des lettres que nous avons adressées à l'Iran pendant la guerre, des lettres qui analysaient la situation présente et à venir. Comme ces lettres étaient très franches, les Iraniens ont cru y voir une tactique de notre part. Mais nous leur disions ce que nous pensions parce que nous voulions la paix la guerre nous désolait. Or, vous connaissez la suite : si les Iraniens avaient tenu compte de ce que nous leur disions, la guerre aurait été évitée.

« Je veux vous parler des relations entre l'Irak et les États-Unis dans les circonstances actuelles et ce qui ne manquera pas d'arriver si les États-Unis commettent une erreur. Tout d'abord, j'aimerais aborder trois points liés à la situation présente.

« Le Koweït était un État sans frontières réelles. Même avant 1961, ce n'était pas un État. Que s'est-il passé en 1961 ? Quand Abdul Karim Kassem a nommé un gouverneur pour le Koweït, sous l'autorité de la province de Bassora, les Irakiens savaient, tout comme Abdul Karim lui-même, que le Koweït faisait partie de l'Irak. Le Koweït était donc jusque-là un État sans frontières et on ne peut juger l'entrée des forces irakiennes dans le cadre des relations entre les États du monde arabe.

« Vous n'ignorez pas que, depuis 1975, nous avons eu avec l'Arabie Saoudite d'excellentes relations, qui progressaient d'une façon tout à fait satisfaisante avant le 2 août. Jusqu'à cette date du 2 août, il y avait entre nous, à tous les niveaux, une confiance et une coordination réelles et, quelle qu'ait été la politique américaine, il nous a semblé que nos bonnes relations avec l'Arabie Saoudite ne nuisaient en rien aux intérêts américains. Si tel est le cas, de bonnes relations entre l'Irak et l'Arabie Saoudite non seulement n'ont pas nui aux États-Unis, mais ont été un facteur de stabilité dans la région. Aussi, toute ingérence dans les relations entre l'Irak et l'Arabie Saoudite ne pourrait que déstabiliser la région et faire du tort aux intérêts américains.

« Nous ne comprenons pas ce que vous voulez dire lorsque vous déclarez que vous redoutez les intentions de l'Irak concernant l'Arabie Saoudite et qu'après le Koweït, ce sera le tour de l'Arabie Saoudite. Il y a autre chose que nous ne comprenons pas non plus. En cherchant à devancer les événements et à pousser l'Arabie Saoudite à entreprendre une action contre l'Irak, ce qui déclencherait une réaction inévitable de notre part, peut-être jouez-vous la provocation ?

« Comme vous le savez, nous avons été les premiers à proposer un accord de sécurité à l'Arabie Saoudite, ce qui implique la non-ingérence dans les affaires intérieures de chacun et un non-recours à la force. Or nous avons signé cet accord. Nous avons proposé le même accord au Koweït, qui a refusé de le signer, sans doute sur le conseil d'une puissance étrangère, probablement la Grande-Bretagne.

« Vous savez également que certains milieux occidentaux sont mécontents de ces accords, dont ils se moquent, les comparant aux accords signés entre l'Angleterre et la France, par exemple [1]. Dieu merci, le Koweït n'a pas signé avec nous.

« J'ai été d'autant plus heureux, quand nous avons pris la décision de soutenir le groupe révolutionnaire du Koweït, que nous n'avions pas d'accords avec ce pays. Dans le cas contraire, nous n'aurions pu le faire.

« L'Arabie Saoudite nous a accordé son aide et son soutien durant la guerre contre l'Iran. C'est à son initiative que nous avons obtenu l'usage d'un pipeline et ce pays nous a même accordé son soutien financier, et pas sous forme de prêts. Nous étions frères, mais vous avez gâché ces relations en retournant les Saoudiens contre nous.

« Si vous vous inquiétez réellement pour l'Arabie Saoudite, vous avez tort. Mais si vous espérez ainsi amener l'Arabie Saoudite à s'inquiéter, c'est autre chose. C'est également le langage que nous tiendrons à nos frères saoudiens et nous sommes prêts à leur donner toutes sortes de garanties pour calmer leurs inquiétudes. Surtout, ce serait pour nous un devoir de protéger ce pays en cas de menace étrangère. En ce qui concerne nos relations avec le monde arabe, nous pouvons nous réconcilier avec eux un soir et nous brouiller

1. Il s'agit des accords Sykes-Picot pour le partage du Moyen-Orient, après la Première Guerre mondiale.

le lendemain. Jusqu'ici, nous n'avons pas eu de problèmes.

« Il y a un troisième point que je veux aborder. Des bruits ont couru selon lesquels Saddam Hussein s'était engagé auprès de certains pays arabes à ne jamais utiliser la force contre le Koweït. Ensuite, des responsables de ces pays ont fait part aux Américains de ce qu'ils avaient cru comprendre. J'aimerais souligner ici le fait que les Américains ne devraient pas tenir compte de ces propos. Je n'ai jamais promis cela à aucun Arabe. Il s'est passé la chose suivante. Certains dirigeants arabes m'ont parlé de troupes qui s'amassaient sur la frontière koweïtienne en m'expliquant que les Koweïtiens avaient peur et étaient inquiets. Je leur ai répondu que j'avais promis de n'entreprendre aucune action militaire avant la rencontre de Djeddah. C'est ce que j'ai fait.

« Il n'y a pas eu d'action militaire avant la rencontre. Nous attendions que le vice-président rentre de Djeddah pour prendre une décision.

« Certains se sont étonnés de la rapidité avec laquelle l'opération s'est déroulée. Pour eux, cela signifie que nous avions l'intention d'agir déjà avant la rencontre. Le mouvement patriotique du Koweït nous a donné cette possibilité. Mais cela n'a pas été la raison principale. Nous nous sommes réellement efforcés de faire valoir nos droits par la négociation. En tant qu'Arabes, il était naturel que nous cherchions à établir des relations avec l'opposition koweïtienne, de même que les Koweïtiens auraient cherché à entrer en contact avec l'opposition irakienne si nous les avions attaqués.

« Lorsque nos intérêts essentiels se sont trouvés menacés et que toutes les autres démarches ont été épuisées, nous avons été contraints d'avoir recours à la force. La question qui s'adresse maintenant au Président et aux dirigeants américains est la suivante : En quoi les intérêts américains sont-ils menacés au Koweït ou ailleurs?

« Vous achetez le pétrole irakien depuis que j'ai accédé au pouvoir, alors que nos relations étaient interrompues, et la quantité de vos achats en Irak n'a cessé d'augmenter depuis que nous avons rétabli des relations en 1984. Et ce jusqu'au moment où vous avez décidé de boycotter le pétrole irakien. Vous achetiez environ un tiers de notre production. Ce n'est pas une décision technique, c'est un choix politique. Votre intérêt tient à votre commerce et à un approvisionnement continu en pétrole. Alors, de quoi avez-vous peur? Pourquoi discutez-vous d'options militaires qui sans doute seront un échec?

« Vous êtes une grande puissance et nous savons que vous pouvez nous nuire, comme je l'ai déjà dit à votre ambassadeur. Mais si cela se produit, vous perdrez toute la région et vous ne parviendrez pas à nous mettre à genoux même en faisant usage de toutes vos armes. Vous pouvez détruire nos centres de recherche technologique, notre économie, notre pétrole. Mais plus vous détruirez, plus les choses deviendront difficiles pour vous.

Ensuite, nous n'hésiterons pas à attaquer vos intérêts dans la région, comme nous avons attaqué le Koweït lorsque celui-ci a comploté contre nous. Ne nous mettez pas de nouveau dans cette situation. Lorsque notre existence est menacée, nous menaçons les autres. Certes, vous êtes une grande puissance, capable de faire du mal et de détruire, mais nul à part Dieu ne peut en finir avec l'homme.

« Pourquoi voulez-vous être nos ennemis? Vous avez commis suffisamment d'erreurs en affaiblissant vos alliés dans la région qui ont perdu aujourd'hui toute considération aux yeux de leurs peuples. De notre point de vue, vous seriez plus à même de défendre vos intérêts dans cette partie du monde en vous appuyant sur un régime fortement nationaliste et réaliste, qu'avec les Saoudiens. Vous reprochez à l'Irak son agressivité, mais si l'Irak s'est montré agressif pendant la guerre contre l'Iran, pourquoi avez-vous conservé des rapports avec lui? Vous mentionnez le communiqué du 2 avril, nous n'avons pas publié de communiqué de ce genre avant, pendant ou après la guerre contre l'Iran.

« Pourquoi dans ce cas ai-je publié ce communiqué? Parce que certains milieux occidentaux et américains voulaient pousser Israël à nous attaquer. Ce communiqué avait pour but de décourager toute agression. Nous sommes convaincus qu'il a aidé la paix. Si nous avions gardé le silence, Israël nous aurait attaqués, ce qui nous aurait forcés à répliquer. Pendant la guerre, vous vous en souvenez, nous avons été constamment bombardés par l'Iran, mais lorsque nous avons disposé de fusées, nous avons commencé par menacer de nous en servir avant de les utiliser. Si l'Iran avait écouté nos mises en garde, nous n'aurions pas eu à en faire usage. Dieu merci, jusqu'ici, Israël nous a écoutés. Cela a-t-il servi la cause de la paix ? Bagdad peut résister aux fusées mieux qu'Israël.

« Pour conclure, si le Président américain veut maintenir sa politique dans la région et sauvegarder ses intérêts comme nous venons de le dire, l'option militaire et la tension croissante dans la région vont à l'encontre de ces objectifs. A moins que cette attitude ne cache autre chose ? Toujours est-il que, pour notre part, nous désirons la stabilité et la paix, et nous ne nous laisserons pas étouffer. Nous ne supportons pas la famine ni la faim, notre peuple a eu faim pendant mille ans et c'est un passé que nous ne voulons plus voir revenir. Nous aspirons dans l'honneur à un avenir digne, qui permette de construire et de multiplier de bonnes relations avec les États-Unis – à condition que ceux-ci le souhaitent. Ceci est mon nouveau message au Président Bush. »

Wilson peut enfin répondre :

– Merci, monsieur le Président. Je ne manquerai pas de rapporter votre déclaration à mon gouvernement et de transmettre immédiatement par téléphone votre message, que je vais également transcrire par écrit. Comme vous l'avez signalé vous-même, c'est une période dangereuse, non seulement pour les relations américano-irakiennes, mais aussi pour l'équilibre de la région et du monde.

Saddam Hussein :

– Pourquoi serait-elle dangereuse pour le monde ?

Wilson :

– Je crois pouvoir dire qu'il y a un sentiment d'insécurité et une certaine agitation sur les marchés mondiaux.

Saddam Hussein :

– C'est de votre faute ! Nous avons accepté 25 dollars le baril et si vous n'aviez pas pratiqué le boycott, le prix du baril tournerait autour de 21 dollars. Quand on boycotte 5 millions de barils d'un coup, l'instabilité est inévitable. Les distributeurs en tireront profit, mais certainement pas le peuple américain.

Wilson :

– J'ai l'impression de toucher là un point sensible. En fait, je voulais vous dire que, durant ces journées difficiles, il m'a paru important que nous conservions un dialogue pour éviter de commettre des erreurs. C'est uniquement de cette manière que nous parviendrons à réduire la tension et à garder notre sang-froid. C'est pourquoi je me réjouis de cette occasion de transmettre votre lettre. J'aimerais cependant faire deux remarques avant de revenir sur les points que vous avez soulevés précédemment.

« Je vous ferai tenir, à vous et à vos ministres, la réponse du Président Bush.

« Dans la première partie de votre message, vous avez mentionné que le Koweït faisait partie de l'Irak. »

Saddam Hussein :

– C'est notre histoire. Nous disons cela pour que tout le monde sache que le Koweït devait prendre en compte cette vérité et ne pas essayer de s'y dérober. Elle est l'essence même des relations entre l'Irak et le Koweït. Cela est différent pour d'autres pays comme l'Égypte ou l'Arabie Saoudite.

Wilson :

– Il est très important pour moi de comprendre la nature de ces relations.

Saddam Hussein :

– Les relations entre les pays sont définies par les relations entre les peuples, et non par moi, par les Américains, les Soviétiques ou d'autres. Elles doivent reposer sur la fraternité et le respect mutuel.

Wilson :

– Ceux-ci étaient-ils absents de vos relations avec le Koweït ?

Saddam Hussein :

– Oui, surtout au cours du dernier mois. J'ai dû courir derrière Jaber pour que nous puissions définir les frontières et il m'a répondu : " Que d'autres le fassent ! " Nous avons des preuves à l'appui. Cela nous a paru bizarre sur le coup, mais nous avons découvert par la suite qu'il complotait contre nous.

Wilson :

– Merci. Deuxième point, vous avez évoqué les relations fraternelles avec l'Arabie Saoudite, en mentionnant l'accord de non-agression entre vos deux pays. J'aimerais vous faire part de l'inquiétude de notre gouvernement concernant les intentions actuelles de l'Irak. Certes, vous m'avez donné une réponse générale à cette question, mais permettez-moi de...

Saddam Hussein :

– Qu'est-ce qui calmerait vos inquiétudes?

Wilson :

– Je ne sais pas, je vais m'en informer auprès de mon président. Je sais que vous êtes une personne franche et droite, mais comprenez que, dans l'état actuel des choses, alors qu'il n'y a pas eu d'action militaire de la part des États-Unis ou de l'Arabie Saoudite, vous m'avez donné l'assurance que vous n'aviez pas l'intention d'entreprendre une action militaire contre l'Arabie Saoudite.

Saddam Hussein :

– Vous pouvez transmettre mes propos aux Saoudiens et au reste du monde. Nous n'attaquerons pas ceux qui ne nous attaquent pas, nous ne nuirons pas à qui ne nous nuit pas. Ceux qui aspirent à notre amitié nous trouveront plus que désireux de leur tendre la main. Pour ce qui est de l'Arabie Saoudite, cette question ne m'a même pas effleuré l'esprit. Nous avons des relations solides et vous devez me dire si vous savez quelque chose que nous ignorons. Il est normal que le roi Fahd accueille l'ancien dirigeant du Koweït, le cheikh Jaber, et cela ne nous dérange pas. Cela ne nous dérangera que si l'Arabie Saoudite lui permet d'œuvrer contre l'Irak sur son territoire. A propos, transmettez mes meilleurs vœux au Président Bush, dites-lui de considérer que Jaber et sa famille, ainsi que ceux qui l'accompagnent, font désormais partie de l'Histoire. La lignée des Sabah, c'est du passé.

« Il est normal que chacun se préoccupe de ses intérêts personnels. C'est pourquoi nous désirons savoir précisément quels sont les intérêts légitimes des Américains, afin que nous puissions les rassurer. Je vous le dis, non pas pour des raisons tactiques, ni parce que vous nous boycottez – j'ai tenu à ne vous rencontrer qu'après le début de ce boycott – et je ne cherche nullement à l'annuler. Je ne recherche même pas l'approbation des États-Unis, mais je veux comprendre quels sont leurs intérêts légitimes pour leur conseiller de ne pas trop s'avancer sans se réserver de possibilité de repli. »

Wilson :

– J'en ferai part à mon gouvernement. Je suis venu ici avec trois idées en tête, qui correspondent aux inquiétudes de mon gouvernement. Premièrement, la nature de l'invasion et vous connaissez parfaitement la position de mon gouvernement là-dessus. Deuxièmement, vos intentions à venir concernant l'Arabie Saoudite, ce à quoi vous avez répondu. Enfin, la sécurité des ressortissants américains, et plus particulièrement l'autorisation pour les citoyens américains de repartir. Comme vous le savez, les Américains sont très sensibilisés sur la question de la liberté de circulation. Cela vaut également pour les Américains au Koweït, malgré le retrait des troupes [1].

1. Il s'agit probablement du pseudo-retrait partiel annoncé peu après l'invasion.

Saddam Hussein :

– Comment pouvez-vous prétendre qu'il n'y a pas eu de retrait, puis dire quelque chose de différent ?

Wilson :

– J'ai vu trois convois quitter Bassora et j'en ai informé Washington.

Saddam Hussein :

– Notre armée a mis trois jours à entrer au Koweït, et le retrait ne peut se faire en un jour. Le retrait de nos forces doit reposer sur un accord international et nous ne quitterons pas le Koweït pour qu'il tombe entre les mains d'une autre puissance. Si les menaces se multiplient contre le Koweït, nous enverrons d'autres troupes. La nature de ces renforts dépendra de la nature des menaces. Lorsque les menaces cesseront, nos forces se retireront, nous ne voulons pas que le Koweït devienne un autre Liban. Je ne crois pas que ce soit de l'intérêt de quiconque que l'armée irakienne se retire en toute hâte en livrant le Koweït aux partisans de la guerre [1]. Le gouvernement provisoire, comme nous le lui avons suggéré, a formé des milices, auxquelles nous avons conseillé d'être autonomes et de faire appel à l'armée populaire.

« Pour ce qui est des Américains au Koweït et en Irak, il est interdit à tous, Irakiens et étrangers, en Irak et au Koweït, de se déplacer. Vous savez par vos propres sources que notre armée s'est conduite correctement avec les

1. Saddam Hussein évoque probablement ici l'ancien gouvernement.

étrangers. Le communiqué du gouvernement koweïtien a autorisé les étrangers à se rendre en Irak, où ils sont en sûreté.

Wilson :

– Puis-je vous demander sans détour quand vous allez permettre aux ressortissants américains, résidents et visiteurs, de partir?

Saddam Hussein :

– Ce que vous me demandez, en fait, c'est quand tous les étrangers seront autorisés à s'en aller?

Wilson :

– Je ne me permets pas de parler au nom des autres.

Saddam Hussein :

– Je voulais souligner que cette restriction ne concerne pas seulement les Américains. Nous vous en informerons en temps voulu.

Wilson :

– Permettez-moi de vous demander d'examiner cette question de toute urgence, car c'est une question qui soulève énormément d'émotion parmi notre gouvernement et notre population.

Saddam Hussein :

– Nous comprenons cela, de même que nous en saisissons le côté humanitaire.

Wilson :

– Finalement, j'aimerais ajouter deux choses. Vous avez mentionné la bonne conduite des troupes irakiennes, ce que votre ministre et votre vice-ministre m'avaient assuré. Je pense que nous n'en attendons pas moins. Permettez-moi d'attirer votre attention sur un point, un point important. Hier soir, des soldats irakiens ont forcé la maison du conseiller américain de l'ambassade du Koweït. Cela est en contradiction avec la politique que vous venez d'évoquer et j'ajouterais que c'est une violation de l'immunité diplomatique. Je n'en aurais pas fait mention si vous n'aviez vous-même abordé la question.

Saddam Hussein :

– J'ai eu une réunion hier avec certains de nos officiers et ils m'ont parlé d'éléments, asiatiques, saoudiens et autres, qui perturbent la sécurité dans les entrepôts. Toujours est-il que si l'armée irakienne avait commis de tels actes, nous le dirions, en vous assurant que c'était une erreur et que nous prendrions des mesures pour punir les responsables. Ce type de comportement va à l'encontre de notre politique.

Wilson :

– Dernier point, durant ces journées difficiles, surtout pour la sécurité des ressortissants américains...

Saddam Hussein :

– Avez-vous l'intention de nous attaquer et est-ce pour cela que vous voulez faire partir vos ressortissants ?

Wilson :

– Non, mais il est de mon devoir de leur donner la liberté de partir s'ils le désirent. J'ai personnellement l'intention de rester, j'aime vivre ici. Je voudrais également dire que durant la crise, j'ai apprécié que les portes soient toujours restées ouvertes pour moi et mes collègues au ministère des Affaires étrangères, de huit heures du matin à quatre heures de l'après-midi. J'apprécie également que vous ayez souhaité me rencontrer pour me rassurer sur le sort de nos ressortissants au Koweït.

Saddam Hussein :

– N'ayez aucune inquiétude.

Wilson :

– J'aimerais vous assurer, au vu de mon expérience des relations internationales, que le dialogue est la bouée de sauvetage des diplomates et des politiciens.

Saddam Hussein :

– Il est normal que vous m'assuriez des bonnes intentions de vos collègues, mais je veux être sûr que vous transmettrez mon message au Président Bush.

Wilson :

– La dernière fois que j'ai rencontré un président en Afrique, je lui ai demandé de se reporter au procès-verbal de la rencontre. Or, si vous revenez sur notre conversation, vous vous rendrez compte que je vous ai beaucoup remercié.

A vingt-deux heures à Djeddah, Richard Cheney téléphone à la Maison-Blanche à partir des lignes spéciales tirées dans son hôtel. Il est quinze heures à Washington. Le ministre fait part à George Bush du feu vert saoudien, assorti d'une exigence : les États-Unis devront différer toute annonce publique jusqu'à l'arrivée des premières troupes. Cheney appelle ensuite Colin Powell. A seize heures, le Président donne l'ordre final de déploiement des forces américaines. Dans la conversation qu'il a alors avec Powell, il leur assigne trois objectifs : dissuader l'Irak de toute agression, défendre l'Arabie Saoudite et renforcer les capacités de la péninsule arabique. Les officiers supérieurs ont reçu la consigne de se tenir prêts à d'autres missions, mais rien n'est dit d'une éventuelle offensive destinée à contraindre l'Irak à quitter le Koweït.

Une heure plus tard, une escadrille de chasseurs F15 décolle à destination de l'Arabie Saoudite. L'opération « Bouclier du désert » est lancée. Il avait fallu dix-neuf heures à George Bush, en décembre 1989, pour prendre la décision d'envahir Panama; il lui aura fallu cent quinze heures avant de répliquer militairement à l'invasion de l'émirat pétrolier.

Margaret Thatcher, rentrée du Colorado, s'arrête à Washington. Elle est reçue par Bush qui a rencontré juste auparavant le secrétaire général de l'OTAN, Mandfred Woerner. Entre-temps le résultat du vote du Conseil de sécurité de l'ONU est parvenu à la Maison-Blanche.

Par treize voix contre deux abstentions, celles de Cuba et du Yémen, la résolution 661 est adoptée. Elle « prône » le boycottage commercial, financier et militaire de l'Iraq.

Peu après, le porte-avions *Saratoga* et le cuirassé *Wisconsin* font mouvement vers le Golfe. Les États-Unis renforcent leur présence navale en prévision du blocus militaire destiné à appuyer la résolution des Nations Unies.

Bush questionne longuement Thatcher sur la manière dont elle avait conduit la guerre aux Malouines et la nature des difficultés qu'elle dut affronter.

Le même jour, les services de la Maison-Blanche reçoivent un premier télégramme, bref, puis l'intégralité de la conversation entre Saddam et le chargé d'affaires américain à Bagdad, Joseph Wilson. Une fois décodé, le contenu de l'entretien est accueilli avec un intérêt mitigé. Bien sûr, Saddam Hussein y affirme qu'il n'a pas l'intention d'envahir l'Arabie Saoudite, mais ses propos suscitent le scepticisme. « Il est difficile, dit un conseiller de Bush, d'accorder de la crédibilité à ses déclarations, alors qu'il a prodigué des assurances semblables juste avant d'envahir le Koweït. »

CHAPITRE VIII

Le 7 au matin, quand ils se posent sur l'aéroport de Djeddah, Yasser Arafat et Abou Iyad ignorent, comme le reste du monde, l'accord conclu entre les dirigeants saoudiens et Washington, et l'imminence de l'opération « Bouclier du désert ».

Dans les bases militaires situées sur la côte Est des États-Unis où stationnent les premières troupes qui doivent partir, on approche de l'aube et aucune activité exceptionnelle n'est encore décelable.

Dès leur arrivée au palais du roi Fahd, les dirigeants palestiniens sont intrigués par l'atmosphère qui règne. Ils étaient habitués à un lieu calme et feutré, parfois assoupi. Ils découvrent une véritable ruche. Un ballet de voitures dépose à l'entrée les principales personnalités du régime qui se dirigent vers les salons du roi, tandis que des collaborateurs tout aussi affairés traversent d'un pas rapide les couloirs, des dossiers à la main.

Arafat et Abou Iyad vont attendre là un long moment, avant qu'un collaborateur du roi ne s'approche d'eux pour leur apprendre que le souverain saoudien ne pourra les recevoir que le lendemain.

– Pourquoi toute cette agitation, demande Arafat en montrant de la main le mouvement inhabituel.

Le collaborateur de Fahd hésite puis répond :

– Le ministre américain de la Défense est arrivé hier à la tête d'une délégation. Il poursuit aujourd'hui ses discussions avec le souverain.

La nouvelle inquiète Arafat. Abou Iyad, qui a la haute main sur les services de sécurité et de renseignement de l'OLP, n'a pas été averti d'une telle visite.

Les deux hommes s'interrogent aussi sur leur emploi du temps.

Avant de décider de venir en Arabie Saoudite voir Fahd, ils avaient prévu de se rendre à Vienne pour assister aux obsèques de l'ancien chancelier autrichien, Bruno Kreisky, qui doivent se dérouler aujourd'hui. Bien que d'origine juive, il avait toujours été un défenseur des positions palestiniennes. Il est désormais trop tard pour effectuer le voyage. Il n'existe aucun vol, aux horaires satisfaisants, permettant d'aller de Djeddah en Autriche. Déçus, ils évoquent ce problème avec le collaborateur du roi qui leur a annoncé le report de la rencontre. L'homme les écoute attentivement, puis disparaît pendant une vingtaine de minutes. A son retour, il arbore un sourire satisfait :

– Tout est arrangé. Le roi a fait mettre à votre disposition un avion qui est prêt à décoller. Il vous conduira à Vienne et vous ramènera dans la soirée à Djeddah.

Au même moment, à Jérusalem, les obsèques de deux jeunes Israéliens assassinés donnent lieu à des explosions de violences antiarabes.

Au quartier général des services secrets militaires, deux faits préoccupent les experts. Les Irakiens, en envahissant le Koweït, ont mis la main sur tout un matériel militaire sophistiqué, pour une large part d'origine américaine, appartenant à l'armée koweïtienne. Ces armes équipent en partie aussi les forces israéliennes; de plus, « des sources » révèlent que dans la préparation de l'invasion, les services secrets irakiens auraient obtenu de nombreux renseignements des services de l'OLP qui s'appuient sur une importante « diaspora » occupant dans l'émirat des postes de responsabilité.

Aux États-Unis, tandis que plusieurs esca drilles de chasseurs F15 et F16 décollent pour l'Arabie Saoudite, quatre mille hommes de la 82e division aéroportée commencent d'embarquer.

Les premiers effets des pressions politiques

de Washington commencent également à se faire sentir. Les Saoudiens ferment le pipeline qui achemine le pétrole irakien jusqu'aux ports de la mer Rouge, tandis que la Turquie interdit l'acheminement et le chargement de ce pétrole sur ses côtes méditerranéennes.

Il y a deux approches du problème, confie un homme politique européen : « La confrontation ou l'asphyxie. » George Bush a choisi de jouer sur les deux registres. Ils exigent l'un et l'autre, pour être efficaces, une large coordination et coopération internationales.

Dans le cercle étroit des collaborateurs du Président américain, mis dans le secret, un vif débat s'est déroulé : quel est le moment le plus opportun pour annoncer ce gigantesque envoi de troupes dans le Golfe ? Une majorité pencha pour une annonce télévisée mardi soir, « avant que la presse n'ait rendu l'opération publique ». Bush, qui n'est pas à l'aise dans les allocutions télévisées, persiste à penser, énigmatique, que l'annonce doit « intervenir au meilleur moment politique et militaire ».

Prenant la parole à la télévision, Saddam Hussein affirme que l'occupation du Koweït « à mis fin à une division coloniale » au sein du monde arabe qui séparait la majorité pauvre d'une minorité riche.

Rentrés de Vienne dans la nuit, Arafat et Abou Jyad sont reçus dans la matinée du 8 par le roi Fahd. Le prince héritier Abdullah assiste à la rencontre. Les premières forces américaines commencent d'arriver sur le sol saoudien.

Arafat est passé maître depuis des années dans l'art de la survie. En reprenant officiellement le rôle de médiateur abandonné par le roi Hussein de Jordanie découragé, il pense rehausser par un succès le prestige de l'OLP auprès des chefs d'État arabes mais aussi en Occident. Arafat a refusé de condamner l'invasion du Koweït, mais ce geste, qu'il considère comme un atout puisqu'il lui permet de rester en contact étroit avec Saddam Hussein, affaiblit aussi la force de son initiative.

Le Syrien Hafez El Assad le dédaigne, Moubarak s'en méfie et les États du Golfe fustigent sa position. Seule l'Arabie Saoudite, qui est aussi son premier bailleur de fonds, conserve une attitude modérée envers l'OLP.

Avant d'arriver à Riyād, Arafat et Abou Iyad ont évalué les conséquences financières de la crise sur leur organisation. Un mot a même été prononcé par certains proches conseillers : la faillite. Si les quatre cent mille Palestiniens travaillant dans le Golfe perdent leur emploi et si les monarchies de la région arrêtent leurs subsides, l'organisation palestinienne se retrouve virtuellement sans ressources. Arafat a demandé qu'on lui prépare un plan qui envisagerait des coupes de 35 % dans le budget annuel se chiffrant à 1 milliard de dollars. Il vient à Djeddah à la fois pour négocier et quémander.

Le souverain saoudien, d'habitude si pondéré, surprend ses hôtes par la violence de ses attaques contre les Al Sabah, l'ancienne famille régnante du Koweït aujourd'hui réfugiée sur le sol saoudien.

– J'ai de nombreuses critiques à formuler envers eux, dit Fahd, emporté. Ils n'ont pas payé leurs dettes. Ils sont pour une bonne part à l'origine de la crise.

Le souverain saoudien discute avec les chefs palestiniens d'un plan de retrait du Koweït qui pourrait être présenté à Saddam Hussein. Il accepterait que Bagdad se retire sur la zone frontalière contestée où sont des champs pétrolifères et continue de stationner sur les deux îles qui lui donnent accès au Golfe.

– Seriez-vous prête, Majesté, à rencontrer le président irakien ?

Fahd consulte du regard le prince héritier Abdullah et répond :

– Oui, s'il se plie à ces conditions.

Il accepte aussi de verser de l'argent à l'Irak et, tout au long de l'entretien, il parle de Saddam Hussein d' « une manière très correcte ».

A un moment, lorsque sera abordée la question du financement de l'OLP, la conversation va prendre un ton tendu et désagréable pour les Palestiniens. Abdullah, dont les opinions sont beaucoup plus tranchées que celles de Fahd, apostrophe les deux hommes : « Vous, les Palestiniens, vous n'avez pas reconnu tout ce que le Koweït vous a donné. Vous n'avez rien fait en échange de la confiance et de l'aide qu'il vous a accordées. »

L'échange devient de plus en plus violent jusqu'au moment où le roi Fahd intime l'ordre à tous d'arrêter.

A quatre heures du matin, Bush quitte ses appartements et gagne la Situation Room. Accompagné de Brent Scowcroft, il supervise le départ des forces engagées. A six heures, il regagne le bureau ovale et trouve sur son chemin une journaliste accréditée à la Maison-Blanche à laquelle il lance : « Continuez à écouter votre transistor ! » A neuf heures, il reçoit la presse dans son bureau et annonce l'opération. A midi, il tient une conférence de presse où il déclare : « Une ligne a été tracée dans le sable. » Le soir, il s'adresse à la nation, à la télévision.

Durant cet exercice qu'il n'aime guère, le Président des États-Unis affirme, crispé et solennel : « Dans la vie d'une nation, nous sommes appelés à découvrir qui nous sommes et ce en quoi nous croyons. Aujourd'hui, en tant que président, je demande votre soutien à une décision que j'ai prise pour permettre de tenir bon en faveur de ce qui est correct et condamner ce qui est mauvais. » Bush précise que la mission assignée aux forces américaines est totalement défensive. Il définit quatre objectifs : le retrait immédiat et sans conditions du Koweït; le rétablissement du gouvernement légitime de l'émirat; la sécurité du Golfe et notamment des approvisionnements pétroliers ainsi que des vies américaines.

A Bagdad, immédiatement après le discours télévisé du Président américain, un communiqué émanant du Conseil du commandement de la révolution annonce « l'annexion du Koweït ». La mesure est présentée comme une « fusion éternelle ».

Dans le désert saoudien, au large de la ville de Dharan où se trouve le siège de l'ARAMCO, le consortium pétrolier qui exploite les riches gisements pétrolifères, les premières troupes se déploient. Les détails en provenance du Pentagone indiquent que cinquante mille hommes seront à pied d'œuvre avant la fin du mois.

Le monde arabe se débat dans une ultime tentative pour régler la crise. Hosni Moubarak est en contact depuis la veille avec tous les dirigeants de la région pour organiser un sommet le 10 août au Caire.

Bagdad, cependant, s'applique à rompre, un à un, les derniers liens qui le rattachent au reste du monde. Le 9 août, vingt-quatre heures après l'annonce de l'annexion, l'Irak décide de fermer ses frontières et de retenir sur son territoire tous les étrangers présents, « pour des raisons de sécurité ».

Trois millions de personnes deviennent ainsi les otages de Bagdad qui déclare également que les ambassades étrangères au Koweït devront avoir fermé avant le 24 août. Parallèlement, la presse internationale bénéficie d'un traitement de faveur. Les journalistes sont libres d'entrer et de sortir et les chaînes de télévision américaine sont particulièrement favorisées.

Face au blocus et aux réactions militaires à leur encontre, les officiels irakiens répondent : « Nous pouvons vivre sans Pepsi, sans MacIntosh, sans whisky. » Ils omettent de préciser que l'Irak connaît un très important déficit céréalier et importe notamment les trois quarts de son blé, une part importante du riz, du sucre et de la viande. En prévision de la crise, le régime avait d'ailleurs constitué des stocks.

Dans ce pays façonné selon sa volonté, Saddam devient soudain étrangement absent. Son portrait est partout, dans les rues, le long des monuments, sur les édifices publics. Il a remodelé toutes les vérités, plié toutes les réalités à ses exigences. L'équivalent de l'arc de triomphe à Bagdad se dénomme « les mains de la victoire ». Un monument de près de cinquante mètres de haut où deux sabres entrecroisés sont tenus par deux avant-bras géants en bronze. Cette effigie reproduit les propres « armoiries » que s'est inventées Saddam Hussein mais symbolise aussi la victoire de Bagdad sur l'Iran. Une victoire qui n'a pas eu lieu. Mais le peuple irakien n'a jamais protesté. La police politique exerce une surveillance de chaque instant et « seules des bribes de la réalité extérieure », comme le dit un diplomate, parviennent à l'intérieur du pays. Saddam est vraiment à son image : absence de connaissances du monde extérieur et goût de l'isolement.

Personne, durant ces jours, ne sait où se trouve le leader irakien. De nouvelles pièces de DCA sont installées autour du palais présidentiel mais il séjourne peu dans ce bâtiment. Il est le plus souvent dans son bunker et change de résidence toutes les six heures pour échapper à une tentative d'assassinat ou à d'éventuels bombardements. Saddam Hussein, habitué depuis toujours à agir uniquement pour rester en vie joue, et il le sait, la partie la plus délicate de sa carrière.

Il a coupé tous les ponts derrière lui, et durant ces moments où la condamnation internationale est totale, aucun visiteur étranger ne se presse à Bagdad, à l'exception d'Arafat et d'Abou Iyad qui poursuivent leur véritable « marche » de pèlerins de la paix.

Saddam Hussein resurgit du silence et de la clandestinité pour les rencontrer. Il ne paraît ni surpris ni affecté par la gigantesque mobilisation mise en place contre lui. La discussion entre les trois hommes va durer près de quatre heures. Les choses sont devenues beaucoup plus compliquées : Saddam a annoncé l'annexion de l'émirat et les troupes américaines arrivent en Arabie Saoudite.

Arafat et Abou Iyad cherchent à le convaincre de se rendre le lendemain au sommet du Caire. Saddam Hussein refuse d'y aller si l'émir du Koweït est présent. Les Palestiniens tentent de le faire fléchir. Sans succès. « La monarchie et ceux qui la représentent ont définitivement cessé d'exister », lance-t-il, exaspéré ; c'est le seul moment où il se départira de son calme. Les dirigeants palestiniens tentent alors d'élaborer un autre plan. Arafat ira au Caire et persuadera les dirigeants de cinq pays clés participant au sommet d'aller à Bagdad pour engager des négociations. Le sommet se mettra en veilleuse jusqu'à leur retour.

C'est une proposition complexe et hasardeuse qui n'a de chance de réussir – Arafat et Iyad le savent – que s'ils arrivent à convaincre, dès leur arrivée au Caire ces cinq chefs d'État. Mais Saddam Hussein l'accepte.

Après la partie strictement diplomatique de leur rencontre, Saddam Hussein va retenir les deux hommes et continuer de leur parler. Du même ton calme et décidé, il évoque l'apocalypse, l'embrasement généralisé de la région qu'il peut provoquer. Son ton n'est pas grandiloquent mais précis, minutieux. Il ressemble à un artificier en train de régler une charge, sans avoir encore choisi le moment de l'explosion.

Le chef de l'État irakien évoque une guerre avec les États-Unis : « Il est clair que dès l'instant où je serai attaqué, j'attaquerai Israël. L'engagement israélien dans le conflit changera les vues et la position du monde arabe, et cette agression contre l'Irak sera alors perçue comme un complot américano-sioniste. Plusieurs pays, notamment l'Égypte et la Syrie, qui appuient actuellement les États-Unis, changeront d'attitude lorsqu'ils constateront qu'Israël est engagé dans la guerre. »

Il précise peu après : « Je suis en train de renforcer l'infrastructure militaire au Koweït. Il y aura quatre lignes de défense, dont deux protégeant Koweït City, que les forces étrangères devront conquérir et franchir avant de pouvoir reprendre le Koweït. Même si les États-Unis détiennent la supériorité aérienne, mes troupes causeront d'importantes pertes aux forces d'invasion. »

Le troisième volet de son plan concerne l'Arabie Saoudite : « Un groupe a été formé, composé d'Irakiens et de Saoudiens. Il est prêt à lancer des attaques terroristes contre les troupes américaines stationnées sur le territoire saoudien... »

Enfin, il conclut : « ... si une guerre éclate, il y aura des combats à l'intérieur même de l'Arabie Saoudite. Au cours des cinq dernières années, des dizaines d'armes ont franchi clandestinement la frontière, par le Yémen. Ces armes proviennent pour une large part de Pologne et de Tchécoslovaquie. Elles sont désormais entre les mains de tribus hostiles à la famille royale saoudienne. »

A quelques centaines de kilomètres, à Ankara, le président de la république, Ozal, est dans l'embarras. James Baker est face à lui. Après l'avoir remercié de la fermeture du pipeline, le secrétaire d'État américain ajoute :

– Bien que ce ne soit pas le premier objectif de nos discussions...

Ozal l'écoute, attentif, légèrement inquiet.

– ... il serait important d'envisager de quelles manières et à quelles conditions vos bases militaires pourraient être utilisées.

Ozal se lance dans une réponse empreinte de généralités :

– La Turquie a des liens étroits avec l'Occident depuis la proclamation de la république en 1923, mais nous possédons aussi des relations traditionnelles et historiques avec le monde arabe et islamique.

– C'est vrai, approuve Baker. La crise actuelle démontre l'importance stratégique de votre pays et son rôle au sein de l'OTAN. C'est pourquoi nous voudrions savoir si nous pourrions utiliser vos bases.

– Dans quel cadre, monsieur le Secrétaire d'État ?

– Il y a plusieurs options, répond Baker. La plus extrême serait évidemment celle d'une offensive contre l'Irak.

Ozal sourit, embarrassé.

– C'est très délicat. Vos forces peuvent utiliser nos bases dans le cadre des exercices réguliers de l'OTAN, mais l'éventualité que vous envisagez...

– Bien entendu, le coupe Baker, toute initiative sera soumise à l'approbation préalable de votre gouvernement.

– Je pense que nous pourrions nous entendre de la manière suivante. Nous accéderons à vos demandes si une action militaire devient...

Baker hasarde :

– Nécessaire ?

Le président turc secoue négativement la tête :

– Non, je préférerais le mot « inévitable ».

Baker acquiesce et évoque une participation turque à la force multinationale mise en place pour protéger l'Arabie Saoudite. Ozal, rejoint par son ministre des Affaires étrangères, se montre réservé :

– C'est une question à envisager.

– De toute façon, répond Baker, détendu, c'est avant tout une question qui doit être réglée entre la Turquie et l'Arabie Saoudite et non entre la Turquie et les États-Unis.

Peu après, les dirigeants turcs évoquent le sacrifice financier que représente le ralliement de leur pays aux sanctions anti-irakiennes. Interrogés par Baker, ils estiment les pertes à près de 6 milliards de dollars. Le secrétaire d'État promet alors une assistance américaine et ajoute que « le gouvernement légitime du Koweït, maintenant en exil, offre de participer à cet effort pour réduire les préjudices financiers essuyés par la Turquie ».

A Ammān le roi Hussein s'apprête à s'envoler pour Le Caire où il participera au sommet du lendemain. Pour effectuer ce voyage il a fixé son choix sur un Airbus de la compagnie royale jordanienne baptisé *Bagdad*. Malgré les réticences de ses conseillers qui suggèrent de repeindre le nom sur l'appareil, le souverain refuse. Il compte, au cours du sommet, proposer la création d'une commission d'arbitrage de chefs d'État arabes et demander aux États du Golfe d'appuyer une requête visant à la diminution de la présence militaire américaine dans la région.

Pour Washington, ce sommet revêt une grande importance. L'Administration américaine espère qu'une majorité de pays à l'ONU se prononceront en faveur de l'envoi de contingents au sein de la force multinationale.

Le 7 août, Cheney, après avoir achevé ses négociations en Arabie Saoudite, s'arrêta au Caire. Il demanda à Hosni Moubarak d'acheminer des soldats sur le sol saoudien. Bien qu'il l'ait nié ensuite, le président égyptien accepta « à la condition que d'autres pays arabes donnent également leur accord ». Le Boeing de Cheney venait juste de quitter Le Caire et commençait à survoler la Méditerranée quand le ministre américain de la Défense reçut un appel de George Bush : « Dick, lui dit le Président, j'aimerais que vous alliez au Maroc et que vous rencontriez le roi Hassan. » L'initiative était si inattendue qu'il fallut faxer immédiatement à l'équipage, aux commandes de l'avion de Cheney, le plan de vol et les cartes pour gagner l'aéroport de Rabat. L'entretien avec le roi fut improductif. Hassan refusa d'envoyer des troupes et quand Moubarak prit connaissance de sa position, il revint à son tour sur son engagement.

Les régimes arabes se révélaient faibles et fragiles, moins disposés à une attitude de fermeté qu'à la recherche d'un compromis. Les sommets s'étaient, le plus souvent, caractérisés dans le passé par une volonté de ne prendre aucune décision sur les problèmes abordés. Mais cette fois les pays arabes étaient au pied du mur, impuissants à masquer leurs ambiguïtés.

En fait les grandes manœuvres dans la capitale égyptienne commencèrent dès le 9 août, alors même qu'à Bagdad Arafat cherchait encore à convaincre Saddam Hussein de se rendre au Caire.

Kadhafi était arrivé, le premier, le 8 au soir vers vingt-trois heures. La délégation irakienne volant à bord d'un avion baptisé *Saladin,* ce héros légendaire dont les exploits fascinaient tant Saddam Hussein, se posa le 9 vers quatre heures du matin et gagna immédiatement l'hôtel Méridien, construit au milieu du Nil, où étaient logées la plupart des délégations. Trois hommes composaient la représentation irakienne : le vice-Premiers ministre, Saddoum Hammadi, le ministre des Affaires étrangères, Tarek Aziz et Taha Yassine Ramadan, chef de l'armée populaire.

Moubarak voulait mettre à profit ces vingt-quatre heures, avant l'ouverture officielle du sommet, pour tenter d'obtenir un assouplissement de Bagdad. Il reçut à sa résidence pendant plus de trois heures, dans la matinée, les envoyés spéciaux irakiens. Peine perdue. Les deux parties campèrent sur leurs positions.

Saddoum Hammadi et Ramadan voulaient que l'on discute du blocus décrété contre leur pays, « un acte de piraterie », et de la présence militaire américaine, « un acte de guerre ».

Moubarak a deux rêves : que l'Égypte redevienne le « centre de gravité » du monde arabe et que les États-Unis, avec lesquels il est en négociations, effacent les 7,1 milliards de dollars de dettes militaires. Il espère que les résultats du sommet du Caire permettront de concrétiser ses deux espoirs.

En fait, au fil des heures, les événements vont devenir de plus en plus tendus et prendre parfois une tournure tragi-comique.

Pour la première fois depuis leur départ en exil, les anciens responsables koweïtiens sont présents. Ils constituent toujours le gouvernement légitime et reconnu. L'émir a longuement hésité avant de faire le voyage et il a fallu la pression conjuguée des Saoudiens et des Américains, exaspérés de son indécision, pour qu'il accepte de se rendre au Caire. Il a précisé qu'il n'assisterait qu'à la séance d'ouverture du 10 avant de repartir pour son exil saoudien, à Taïf. A tous les témoins, l'émir Jaber offre l'image d'un homme « prostré, toujours en état de choc ». Une réunion informelle des ministres des Affaires étrangères va opposer les délégations irakienne et koweïtienne.

Tarek Aziz a pénétré dans la salle, sans un regard pour les membres de la famille Al

Sabah, notamment le ministre des Affaires étrangères le cheikh Sabah Al-Ahmad. Tous les Koweïtiens ont revêtu des gilets pare-balles. Tarek Aziz s'adresse à l'assemblée :

– Je proteste contre la présence ici de marionnettes aux mains des Américains...

Le cheikh Sabah Al-Ahmad se lève, ivre de colère :

– Vous avez violé toutes les lois internationales et...

Aziz le coupe, glacial.

– Taisez-vous, vous n'êtes qu'un mercenaire américain qui travaille depuis longtemps pour la CIA !

Le Koweïtien, à bout de nerfs, tente de se lever pour reprendre la parole. Il bascule en arrière et s'affaisse sur son siège, inanimé, victime d'un malaise, tandis que Tarek Aziz continue, imperturbable, de marteler :

– Depuis la fuite des Al Sabah, le Koweït est libre !

Quelques heures plus tard, l'affrontement reprend, mais cette fois à l'intérieur du restaurant installé dans le palais des congrès. Irakiens et Koweïtiens continuent de s'injurier et le vice-Premier ministre Ramadan lance même son plateau à la figure du prince héritier, le cheikh Saad. Celui-ci bondit de son siège, prêt à frapper l'Irakien qui a un pistolet glissé dans sa ceinture. Il faudra l'intervention de plusieurs autres ministres et diplomates pour séparer les belligérants qui continuent de se jeter des bouteilles et de la vaisselle.

La réunion du Caire s'engageait dans un climat détestable. Pourtant Moubarak, à l'ouverture de la séance plénière, accueillit chacun des chefs d'État avec un sourire de façade, devisant avec certains, main dans la main, selon la coutume. Le pire serait peut-être évité.

En fait il eut lieu, tout au long de ce « sommet de la dernière chance ».

La séance plénière commença le 10 août à quatorze heures trente. Moubarak présidait la séance avec à ses côtés un secrétaire général de la Ligue arabe, Chadli Klibi, muet, réduit au rôle de figurant. Quatorze chefs d'État et souverains, cinq délégations gouvernementales et le chef de l'OLP, Yasser Arafat, sont présents. La Tunisie est absente. Le président égyptien réclame « le retrait de toutes les forces irakiennes du Koweït, le respect des droits du peuple koweïtien et le rétablissement du gouvernement légitime qui existait avant l'invasion ». Mais il va critiquer implicitement l'accord donné par les Saoudiens à l'accueil des troupes américaines.

Fahd est furieux. Il dira plus tard à un de ses pairs : « J'ai pris cette décision parce que les photos satellites que m'ont montrées les Américains prouvaient la réalité de la menace irakienne et aussi parce que j'ai confiance en George Bush. Je le connais depuis longtemps, à l'époque où j'étais ministre de l'Intérieur et lui directeur de la CIA. »

Depuis leur arrivée, les délégués saoudiens évitent ostensiblement leurs homologues irakiens. D'autres détails rendent ce sommet encore plus surprenant. En violation de l'ordre alphabétique, on a intercalé la délégation du Qatar entre l'Irak et le Koweït pour éviter de nouveaux affrontements. Quand Moubarak conclut son discours en disant « l'Arabe du XXIe siècle ne doit pas être un homme impuissant, perdu dans les ténèbres de l'ignorance et de l'échec ; la nation arabe ne doit pas être " l'homme malade de ce siècle " », l'émir Jaber et Taha Yassine Ramadan – qui a enfin accepté de laisser son revolver à l'entrée – applaudissent de concert. Ce sera le seul moment d'unanimité.

A la fin du discours, la séance est levée. Tous les participants se rendent à la prière du vendredi dans la mosquée aménagée à l'intérieur du palais des congrès.

A quinze heures trente, la réunion à huis clos débute. Elle se prolongera pendant cinq heures et un des chefs de délégation la résumera comme « la plus meurtrière pour l'unité du monde arabe ».

Yasser Arafat affirme que lorsqu'il s'est assis à sa place il a eu la surprise de trouver le texte d'un communiqué final qui était déjà posé. Un texte écrit en anglais et traduit en arabe. Ce fait a été confirmé par quatre autres délégations. Les chefs de l'OLP ont pu, par ailleurs, mesurer l'ampleur de leur isolement. De nombreux chefs d'État ne répondent pas à leurs saluts ou se détournent ostensiblement pour éviter d'avoir à engager la conversation. Les Palestiniens paient leur soutien à Saddam Hussein. Même le roi de Jordanie, qui admet avoir sous-estimé l'ampleur de la réaction occidentale, a pris peu à peu ses distances envers le chef de l'État irakien. Il a reconnu le gouvernement en exil du Koweït et accepté de souscrire au programme de sanctions des Nations Unies qui aboutira un peu plus tard à la fermeture du port jordanien d'Aquaba par où débarquent de nombreuses marchandises transportées ensuite vers l'Irak.

La délégation irakienne attaque violemment l'ancien gouvernement koweïtien, et Moubarak intrigue par la manière dont il mène les débats. Arafat, après un préalable un peu long et confus, veut proposer son plan.

Moubarak, impatient, lui lance :

– Reviens à l'ordre du jour, le temps presse.

– Je propose, reprend Arafat, que cinq États, la Jordanie, le Yémen, l'Algérie, l'Égypte et la Palestine, forment un comité de médiation qui se rendra au cours des prochaines heures à Bagdad...

Moubarak l'interrompt, excédé :

– Il n'est pas question que je fasse un tel voyage. Saddam Hussein a trahi ma confiance. Abou, il est temps de passer au vote.

– Mais, je n'ai rien pu dire ! s'exclame, médusé, Arafat.

Un délégué intervient :

– Restons frères.

Moubarak, toujours tendu, lui répond :

– Nous le sommes, mais passons au vote.

Plusieurs pays paraissent déjà acquis à la résolution déposée sur la table de chaque délégation avant même le début de la séance : ce sont les États du Golfe, l'Égypte, la Syrie, le Maroc et l'Arabie Saoudite. Cette résolution en sept points, dont beaucoup pensent qu'elle a été rédigée ou du moins inspirée par les Américains, rejette l'annexion du Koweït, adhère aux sanctions et à l'embargo pris par l'ONU contre l'Irak et appelle à la formation de corps expéditionnaires arabes qui seront envoyés en Arabie Saoudite. Douze des vingt et un membres de la Ligue arabe votent en faveur de la résolution ; trois votent contre, l'Irak, la Libye et l'OLP ; d'autres, tels l'Algérie et le Yémen, s'abstiennent, tandis que la Jordanie ne prend même pas part au vote. Le roi Hussein reste à son siège, figé. Le déploiement de troupes, la création d'une force de paix arabe s'effectuent dans la douleur et la confusion.

Dans les couloirs, immédiatement après le vote, Yasser Arafat clame : « C'est une erreur, une terrible erreur. Si une délégation avait pu aller à Bagdad, ils auraient abouti à une solution qui aurait réglé la crise du Golfe. »

Kadhafi est resté à son siège, prostré après le vote, la tête dans les mains. Moubarak s'approche de lui :

– Pourquoi, lui dit Kadhafi d'un ton rageur,

ne m'as-tu pas accordé la parole chaque fois que je la réclamais? Pourquoi étais-tu si pressé de faire voter cette résolution? Elle est illégale. Ta résolution est illégale.

Il hurle ces derniers mots en prenant à témoin ceux qui l'entourent. Moubarak se tient face à lui, blême.

– Fais attention à tes propos. Ne m'accuse pas!

L'affrontement se prolongea encore le lendemain. Moubarak et Hafez El Assad se rendirent à Alexandrie. Le Syrien et l'Égyptien avaient été des alliés durant ce sommet. Ils proposèrent à Kadhafi de les accompagner. Une fois installés dans une résidence, à l'abri des regards, Moubarak s'approche, menaçant, du colonel libyen, le doigt pointé, tandis que Hafez contemple la scène, impassible :

– Comment peux-tu accepter l'occupation du Koweït? Fais attention, si tu continues ainsi, demain c'est moi qui occuperai à mon tour ton pays et personne ne dira rien.

La décision arabe de créer un contingent international, parallèle aux forces américaines, correspondait à deux souhaits qui s'opposaient : donner satisfaction, pour certains, aux Américains, mais aussi éviter toute intervention occidentale dans la région. Moubarak avait implicitement formulé cette méfiance envers les influences étrangères, au cours du sommet. « Le choix pour nous, dit-il, est clair : un acte arabe qui préservera nos plus hauts intérêts ou une intervention étrangère sur laquelle nous n'aurons aucun droit ni contrôle. »

Les dirigeants arabes qui avaient voté en faveur de l'envoi de troupes redoutaient les réactions de leurs opinions. Une tradition islamique affirmait que si une nation dont la religion est l'islam accueille sur son sol des infidèles pour leur permettre de combattre, tous les autres pays islamiques doivent se retourner contre le renégat.

Personne n'était dupe. L'affrontement qui se préparait était avant tout un duel États-Unis-Irak auquel le monde arabe servait seulement de caution.

Saddam Hussein le percevait nettement et le même jour, pendant que les échanges houleux se déroulaient au Caire, il lança, dans un message télévisé lu par un speaker qui était presque son sosie, un véritable appel à la « guerre sainte contre les États-Unis et les leaders arabes corrompus ». Il affirmait que La Mecque, lieu de naissance du prophète Mahomet, serait souillée par l'arrivée des troupes américaines.

A Washington, cet appel fut interprété par la CIA comme une invitation à renverser le régime du roi Fahd, et le directeur de l'agence, William Webster, s'en entretint avec le Président Bush qui venait d'arriver en fin d'après-midi dans le Maine, à sa résidence de Kennebunkport où il comptait prendre quelques jours de vacances. Un autre fait préoccupait également le directeur de la CIA. Le même jour, à l'invitation des Frères musulmans, des milliers de manifestants étaient descendus dans les rues de la capitale jordanienne pour manifester leur soutien à Saddam Hussein, et plus de quarante mille personnes, toujours à Ammān, s'étaient portées volontaires pour combattre aux côtés des Irakiens. Les risques d'embrasement devenaient réels.

Des analystes de l'Agence avaient procédé à une évaluation précise des « vulnérabilités » de plusieurs pays alliés : la « fragilité » d'Hussein de Jordanie était évidente même si, comme le disait un expert, « il avait changé un million de fois de peau pour survivre ». Jamais son trône n'avait paru si menacé. Pour son pays, privé de toutes ressources, le blocus économique contre l'Irak, qu'il s'était engagé à respecter, allait conduire à la perte d'énormes revenus. De plus, si Saddam Hussein décidait d'ouvrir un nouveau front vers Israël, le royaume serait en première ligne. L'Égypte était à peine mieux lotie. Moubarak avait beau affirmer : « Quand Saddam Hussein m'a menti, ce sont quarante millions d'Égyptiens qui se sont sentis insultés », il devait tenir compte du million et demi d'Égyptiens travaillant en Irak et des cent cinquante mille installés au Koweït. Leur renvoi brutal aggraverait la mauvaise santé d'une économie égyptienne déjà en crise. Le ralliement de la Syrie, qualifiée encore il y a peu par les Américains d'« État terroriste », ne suscitait pas l'enthousiasme des experts qui affirmaient qu'en échange de l'envoi de ses troupes, « Hafez El Assad va essayer d'obtenir le maximum de nous ». L'affaire libanaise allait prouver la pertinence de l'analyse.

Bush dialoguait avec William Webster, installé dans le salon, une pièce aux teintes claires meublée sobrement. La maison en bois de Kennebunkport, à proximité de la mer et d'un terrain de golf, était depuis de longues années le lieu de villégiature préféré de Bush et de sa famille. Elle avait été construite par son grand-père, un joueur de polo réputé.

Webster évoqua aussi le cas saoudien. Le royaume n'avait jamais été aussi riche et aussi exposé. Les tensions sur les prix pétroliers allaient permettre au pays de doubler ses revenus : plus de 95 milliards de dollars pour l'année suivante. Mais il y avait d'autres informations plus préoccupantes. Au sein de la famille royale, Fahd était vivement critiqué pour le feu vert accordé aux Américains, et dans les Lieux saints de La Mecque et Médine des enregistrements de prêcheurs radicaux commençaient à circuler, « mettant durement en cause la famille au pouvoir ». Les Irakiens, dans la guerre des mots, jouaient à outrance sur cette présence américaine qui

« conduit à une débauche de sexe et d'alcool ».

Après cet appel, George Bush téléphona au Pentagone et s'entretint avec Richard Cheney et Colin Powell. Il fut décidé d'augmenter le nombre des « forces spéciales » envoyées sur le terrain. Il s'agissait de plusieurs centaines d'hommes appartenant aux unités SEAL de la marine et à la force Delta rattachée à l'armée de terre. Ils avaient pour mission la protection des champs pétrolifères contre toute attaque terroriste et de se tenir prêts à d'éventuelles opérations, pour sauver des « otages américains », bien que le mot n'ait pas été encore prononcé. Il fut décidé que plusieurs unités seraient spécialement détachées pour assurer la sécurité des principaux membres de la famille royale saoudienne.

Sur le terrain, le lieutenant général Charles Horner coordonnait l'arrivée des forces aériennes. Plus de deux cents avions de chasse devaient être sur les bases saoudiennes à la fin de la semaine, accompagnés par cent appareils de soutien. Cinquante bombardiers géants B52 attendaient dans l'îlot de Diego Garcia, prêts, selon la formule d'un officier supérieur, « à dérouler un tapis de bombes » sur des cibles militaires irakiennes. Quatorze chasseurs bombardiers F111 stationnaient sur les bases turques. Au total, le Pentagone attendait l'arrivée de six cents avions à opposer aux cinq cents appareils irakiens dont une centaine seulement, des Mig 23 et des Mirages F1, pouvaient être considérés comme des adversaires menaçants.

De son quartier général installé à Riyād, le général Norman Schwarzkopf supervise tous les détails de l'opération. Le commandant en chef des forces américaines en Arabie Saoudite, désormais surnommé « l'Ours du désert », par analogie avec l'Allemand Rommel, dispose d'une ligne directe qui le relie en permanence au bureau de Colin Powell à Washington. Les deux hommes se parlent tous les jours. Pour Schwarzkopf « les forces que nous avons sur le terrain ont des capacités à la fois défensives et offensives ».

C'est un véritable pont aérien que le Pentagone a lancé en direction de l'Arabie Saoudite. Un avion géant C141 se pose toutes les cinq minutes sur les bases saoudiennes. Plus de quatre cent cinquante mille tonnes de matériel vont ainsi être déchargées. Outre les pièces militaires, les caisses qui s'entassent contiennent des produits aussi divers que 168 000 équipements pour résister à une guerre chimique ou 150 000 bouteilles de lotion solaire. Au sein de l'armée, Powell, Schwarzkopf et leurs collaborateurs immédiats sont les seuls à savoir que ce gigantesque effort a pour objet final la présence de deux cent cinquante mille soldats dans le désert saoudien, face au Koweït. Jamais, depuis la guerre du Viêt-nam, les États-Unis n'ont procédé à un tel déploiement de forces, à un étalage aussi impressionnant de leur puissance militaire.

Chaque matin, Bush est sur le terrain de golf de Kennebunkport. Foulant le green, en apparence détendu tandis que dans les bases les soldats continuent d'embarquer, il interrompt parfois son parcours pour appeler ses collaborateurs à Washington ou un dirigeant à travers le monde. Un assistant se tient constamment à ses côtés, portant un appareil qui lui permet de téléphoner dans n'importe quel point du globe.

Depuis le début de la crise, dans sa manière de l'aborder et de la gérer, Bush semble avoir rompu avec cette réputation d'homme indécis qui lui collait à la peau. Il ressemble plus à un shérif déterminé, intimant aux Israéliens l'ordre de rester calmes et discrets, aux Japonais de s'engager plus nettement que par une simple participation financière. Aux Chinois et surtout aux Soviétiques, il fait savoir qu'ils ont une chance unique de rejoindre réellement la communauté internationale, tandis qu'il regroupe derrière sa bannière une majorité de pays arabes et les alliés européens. La personnalité de Bush est plus complexe qu'il n'y paraît. Presque double. Le patricien de la côte Est, au langage courtois et aux manières mesurées, amateur de musique classique est aussi cet homme qui a fait fortune au Texas, dans le pétrole, un de ces « faiseurs d'argent sauvage », impitoyable en affaires et amateur de country music.

Sa « diplomatie du téléphone », ses conversations constantes avec d'autres dirigeants sont une illustration de cette dualité. Au roi Hussein, il reproche vivement l'ambiguïté de sa position, son soutien voilé à Bagdad. La fermeté du ton impressionne le souverain jordanien qui tente de rappeler qu'il a toujours été un allié fidèle des États-Unis. « Nous devons en discuter », laisse tomber Bush sèchement. Hussein propose de venir aux États-Unis dans quelques jours, rencontrer le Président américain après être allé à Bagdad voir Saddam Hussein, dont il espère des concessions. « Je suis sceptique », sera la réponse en forme de verdict de Bush.

Un soir, en revanche, il veillera jusqu'à deux heures trente du matin pour appeler François Mitterrand à Paris, où il est alors huit heures trente, craignant de le réveiller. Et ses premiers mots, prononcés d'une voix inquiète, seront : « Monsieur le Président, j'espère avant tout que je ne vous dérange pas et qu'il n'est pas trop tôt. »

Dans ce « jeu d'attente » qui se met en place au milieu du désert, les forces et les faiblesses de l'armée irakienne ont été longuement évaluées. Pour les experts américains il s'agit presque d'une « armée du pacte de Varsovie », équipée pour une large part de matériel soviétique et formée selon les techniques de l'Armée Rouge. Les attaques sont lancées par des chars soviétiques T72 et T62 et précédées de tirs de barrages effectués par des canons de 122 et 152 mm. La défense aérienne est assurée par des batteries de missiles mobiles SAM et des radars antiaériens ZSU23. La marine irakienne est quasi inexistante, un certain nombre des cinq mille cinq cents chars alignés sont des modèles anciens et les forces aériennes ne sont pas, pour une large part, équipées de la technologie qui permet de mener efficacement des combats aériens.

Mais une guerre terrestre, visant notamment à reprendre le Koweït, risque de se révéler très coûteuse en vies humaines. Les évaluations que le Pentagone et l'état-major préparent à la demande de Bush, et qui ne lui ont pas encore été transmises, tournent autour de vingt mille à trente mille tués dont dix mille au cours des premiers jours de combat. Un prix humain et politique extrêmement élevé.

L'Administration américaine table, pour faire fléchir Saddam Hussein, sur le caractère impressionnant du déploiement de forces et sur l'efficacité du blocus. L'Irak ne peut plus exporter son pétrole – sa seule source de revenus – et ne peut pas importer le moindre produit, même alimentaire.

Pour évaluer l'impact des sanctions, la CIA et les autres agences de renseignement ont coordonné tout un plan de « collecte » de l'information. Il y a d'abord les photos prises par les satellites espions qui révèlent avec précision tous les mouvements, civils et militaires, la situation dans les champs et les campagnes. Cette activité dépend de la NSA qui possède également en Turquie des centres d'écoute ultra-secrets. Ils peuvent capter une grande partie des communications téléphoniques du réseau irakien. Le détail est immédiatement transmis aux États-Unis où des traducteurs et des linguistes évalueront, au ton et aux mots employés, le moral de la population, son mécontentement potentiel, les premiers indices d'une pénurie. Un gigantesque programme informatique a été lancé à Langley, le quartier général de la CIA, et intègre toutes les données existantes, même des indices comme l'augmentation du tarif des taxis, qui révèlent un renchérissement du coût de la vie, l'augmentation des carburants et peut-être aussi la difficulté de trouver des pièces détachées.

Parallèlement, un ensemble d'opérations de « guérilla psychologique » sont mises en place. Elles sont coordonnées, au sein du « Deputies Committee » – qui réunit les responsables adjoints des principaux ministères –, par Robert Gates, ancien numéro 2 de la CIA et actuel directeur-adjoint du Conseil de sécurité de la Maison-Blanche. L'un des objectifs : contrer la propagande irakienne. Un des participants confiera : « Nous avons tous en mémoire le Viêt-nam, où nous avons perdu politiquement la guerre. »

La Voix de l'Amérique émet désormais vingt-quatre heures sur vingt-quatre vers l'Irak, mais se heurte à un problème : le manque de présentateurs arabes ayant l'accent irakien. Des spécialistes du quatrième groupe d'opérations psychologiques, basé à Fort Braggs en Caroline du Nord, sont prêts à être envoyés en Arabie Saoudite. Leur mission : effectuer tout un travail de désinformation pour saper le moral des troupes irakiennes massées de l'autre côté de la frontière, en faisant croire, par exemple, que l'eau des puits du désert est empoisonnée.

Une forte pression psychologique doit s'exercer sur l'Irak pour souligner la détermination américaine. Des soldats sont photographiés en train de s'entraîner à fouiller une à une des maisons, une mission qui leur incomberait si Koweït City était repris.

Le groupe autour de Robert Gates a rédigé un long mémo ultra-confidentiel énumérant ce qu'il « faut faire et ne pas faire » (Do and don't). Ce texte s'adresse aux officiels, civils ou militaires, directement impliqués dans la crise, et constitue un code de conduite, décrivant par exemple la déclaration publique à prononcer ou à éviter.

Le ratage le plus spectaculaire va être l'interview du chef de l'armée de l'air. Le général Dugan affirma à des journalistes qu'il existait un plan pour bombarder Bagdad et qu'Israël aiderait l'Air Force à choisir les cibles.

Dugan fut immédiatement limogé par Bush. Ses déclarations étaient évidemment embarrassantes et, de plus, il n'avait pas respecté une des règles majeures sur « ce qu'il ne fallait pas faire » mentionnée dans le fameux mémo : ne jamais évoquer une quelconque forme de coopération avec Israël.

A Jérusalem, les nouvelles qui parviennent « préoccupent » les dirigeants israéliens. Il y eut d'abord cette information transmise par les services de renseignement. Une attaque aérienne serait en préparation contre le site nucléaire israélien de Dimona, dans le désert du Néguev.

La menace a été prise suffisamment au sérieux pour que des missiles Hawks, installés sur la frontière jordanienne, soient transférés sur le site nucléaire pour renforcer le système de défense déjà existant. Il a même été envisagé d'évacuer les habitants de la ville voisine.

Le 12 août, Saddam Hussein, dans un discours radio-télévisé, suggère un règlement global au Moyen-Orient. Pour lui, envisager un retrait éventuel du Koweït implique qu'on discute aussi de la présence syrienne au Liban et des territoires occupés par Israël. Il réclame d'ailleurs le « retrait immédiat et inconditionnel des troupes israéliennes ». Bush réplique immédiatement en réclamant le « retrait immédiat et inconditionnel des troupes d'occupation au Koweït ».

La réaction américaine rassure à peine le Premier ministre israélien Shamir. Pour lui, Saddam « manœuvre afin d'affaiblir l'alliance internationale forgée contre lui ». En Cisjordanie et à Gaza, les Palestiniens saluent avec enthousiasme la proposition du leader irakien. Ce 12 août, au cours de la réunion du cabinet israélien qui se tient comme chaque dimanche, une large partie est consacrée aux développements dans le Golfe. Moshe Arens, le ministre de la Défense, Dan Shomron, le chef d'état-major et le major général, Ammon Sharak, chef des services secrets militaires, prennent longuement la parole.

A la lumière des événements, un homme est perplexe : Itzhak Rabin, l'ancien Premier ministre travailliste, un personnage froid et déterminé. Il ne cesse de penser à l'étrange message reçu au début de l'année.

Un homme d'affaires israélien, Azriel Eynav, avait été approché par une personnalité décrite comme « le président d'une banque bien connue et un acteur de premier plan sur le marché pétrolier ». Cet homme, Américain d'origine arabe, avait longuement rencontré Saddam Hussein à Bagdad qui l'avait chargé d'approcher Rabin, « l'homme fort du gouvernement israélien », alors ministre de la Défense.

Rabin, prévenu de cette initiative, demanda une enquête sur l'homme d'affaires américano-arabe. Le rapport qui lui parvint le décrivait comme « sérieux et possédant des contacts de haut niveau ». Intrigué par cette initiative du leader irakien, Rabin accepta le principe d'une rencontre. Son assistant, Eitan Haber, se chargea des préparatifs. Il fut décidé que le ministre israélien et l'homme d'affaires se rencontreraient à Philadelphie où Rabin était de passage. Les deux protagonistes tombèrent d'accord : le secret le plus absolu devait entourer leur entretien. Chaque détail avait été soigneusement pesé et mis au point.

Le banquier arriva avec son avion privé. Pour éviter les journalistes, il pénétra dans l'hôtel où était installé Rabin en passant par les cuisines et emprunta un monte-charge qui le déposa à proximité de la suite du ministre. Les deux hommes discutèrent pendant plus d'une heure. Saddam Hussein proposait à Rabin une rencontre, « à Bagdad ou en Europe ». L'Israélien accepta mais refusa qu'un représentant de l'OLP, comme le demandait l'Irakien, participe à un moment quelconque aux discussions. Deux dates furent avancées. Saddam Hussein donna son accord puis annula pratiquement la veille.

Par l'intermédiaire de l'homme d'affaires américain, le contact fut cependant maintenu entre les deux responsables politiques jusqu'en février 1990. Le discours que Saddam Hussein prononça alors à Amman, attaquant Israël et les États-Unis, marqua la rupture. Mais la question restait entière pour Rabin. Que cherchait réellement le président irakien ?

Le lundi 13 août, le roi Hussein se rendit à Bagdad. Il devait s'envoler deux jours plus tard pour Washington et il espérait rencontrer George Bush, porteur d'un message de Saddam Hussein ou d'une ébauche de plan de paix. Il croyait encore à une solution arabe. Contre toute logique, apparemment. Les États-Unis et une majorité des États de la Ligue arabe, depuis le sommet du Caire, s'étaient prononcés contre. Son pays s'enfonçait dans les difficultés économiques et Washington, comme Riyād, le tenait désormais en suspicion. Plusieurs pays arabes avaient déjà expulsé les résidents jordaniens, et des renseignements parvenus au roi révélaient que les Saoudiens, jusqu'ici troisième partenaire commercial, se préparaient à stopper l'achat de produits jordaniens.

« Chaque jour qui passe, confiait-il, nous rapproche de la guerre, et ceux qui affirment qu'une solution arabe est morte oublient qu'elle était possible durant la première semaine de la crise, jusqu'au moment où les Américains y ont mis fin. »

Le roi savait aussi qu'il devait affronter l'hostilité du Congrès des États-Unis et il avait fait rédiger une lettre destinée à chaque sénateur et représentant, où il expliquait en détail la position de son pays.

Quand il ressortit de ses entretiens avec Saddam Hussein, le souverain avait le visage fermé et ne prononça pas un mot. Son frère, le prince Hassan, confia que les discussions avaient été en échec.

Le 14 août, George Bush interrompt brièvement ses vacances pour rentrer à Washington. Soixante mille soldats, marins et aviateurs, sont déjà déployés en Arabie Saoudite et cinquante mille autres étaient attendus au cours des prochains jours. Le Pentagone avait chiffré le coût de l'opération « Bouclier du désert » : 10 millions de dollars par jour.

Le 15 au matin il rencontre les chefs du Congrès. Le Président était autorisé à rappeler cent vingt mille réservistes sans avoir besoin, pendant cent quatre-vingts jours, de l'approbation du Congrès. Il cherchait à maintenir, au niveau intérieur, le consensus obtenu sur le plan international. Certains de ses conseillers confiaient : « Il sera plus facile d'obtenir l'accord des Nations Unies que du Congrès » et l'un d'eux ajouta :

– C'est vrai, nous avons promis de consulter le Congrès en cas de guerre, c'est-à-dire que nous leur téléphonerons juste après que les premières bombes auront été lancées.

Bush rentra à Kennebunkport juste à temps pour accueillir Hussein de Jordanie. Le roi arrivait, précédé d'une rumeur : il était porteur d'un message de Saddam Hussein. C'était faux et il n'avait rien de nouveau à apprendre au Président américain qui le reçut avec froideur. A Ammān, des membres de l'entourage du souverain tenaient également, depuis plusieurs jours, des propos qui exaspéraient l'Administration américaine, affirmant que les États-Unis se servaient de cette crise pour mieux contrôler à l'avenir les zones pétrolifères du monde arabe.

Au cours des discussions, le roi Hussein s'engagea à appliquer les sanctions des Nations Unies et demanda au Président américain d'envisager rapidement une aide pour compenser les ressources perdues par la Jordanie. Bush promit d'« étudier » cette question, mais ne prit aucun engagement financier.

Les deux chefs d'État devisaient courtoisement, mais sans la chaleur et l'intimité qui avaient marqué leurs précédentes rencontres. Le souverain, qualifié jusqu'ici par Bush de « vieil ami et allié loyal », inspirait désormais la méfiance. Quand Hussein quitta le Président américain, il paraissait, selon les témoins, abattu.

Les deux hommes avaient probablement discuté de la dernière initiative de Saddam Hussein, qui venait d'être rendue publique le jour même.

Dans une lettre au président iranien Rafsandjani, le président irakien proposait la paix au pays qui était jusqu'ici son adversaire irréductible. Il affirmait qu'il abandonnait ses revendications sur les zones frontalières, et annonçait le retrait de ses troupes stationnant dans les régions contestées, à partir du 17 août. Elles seraient envoyées vers le Koweït et la frontière saoudienne. Enfin, Saddam acceptait de relâcher les dix-neuf mille prisonniers de guerre iraniens qu'il détenait encore.

En quelques lignes, Saddam Hussein effaçait le souvenir des centaines de milliers de morts irakiens, de huit années d'un conflit considéré comme le plus meurtrier depuis la fin de la Seconde Guerre mondiale, et donnait une nouvelle preuve de son habileté manœuvrière.

Le retrait irakien de la zone du Chatt al-Arab, proche de l'Iran, s'explique aisément. Saddam Hussein, grâce à l'annexion du Koweït, possède désormais un large accès au Golfe.

En fait, le terme d'annexion est presque impropre. Il faudrait plutôt parler de véritable fusion du Koweït au sein de l'entité irakienne. Les services secrets occidentaux s'étaient longuement interrogés sur l'identité exacte de ce colonel Ali, présenté comme le chef du groupe de « jeunes révolutionnaires » qui avaient pris provisoirement le pouvoir à Koweït City. Aucun colonel Ali ne faisait partie de l'armée koweïtienne. Une enquête plus poussée montra qu'il s'agissait du propre gendre de Saddam Hussein.

En plus des quatre cent trente mille hommes de troupe et des trois mille cinq cents chars déployés dans la région, sept mille membres de la police secrète, la Mukhabarat, ont été envoyés au Koweït. L'objectif : démanteler les mouvements de résistance naissants. La capitale a été divisée en zones avec de nombreux points de contrôle. Les maisons sont fouillées et quiconque est découvert en possession de tracts ou de journaux émanant de la résistance clandestine est immédiatement exécuté. Les registres des banques sont soigneusement épluchés pour identifier les officiels et les fonctionnaires payés par des chèques émis par les agences gouvernementales. Des écoles et des postes de police ont été transformés en centres d'interrogatoire.

En Irak, les cartes ont été refaites. Le Koweït n'y apparaît plus que comme la dix-neuvième province de Bagdad. Koweït City a été rebaptisée Kathima, les plaques minéralogiques irakiennes sont apposées aux véhicules et les portraits et statues de Saddam Hussein surgissent le long des rues, aux carrefours. Un proche du président irakien confie : « Le Koweït est englouti dans les profondeurs de l'Histoire et a disparu de la géographie. »

Les Irakiens ont fait main basse sur la prospérité koweïtienne. Les troupes d'occupation pillent un peu, les dirigeants, sur une large échelle. Un vendeur de voitures perd en quelques heures ses quatorze mille Chevrolets et Oldsmobiles flambant neuves ; elles sont expédiées à Bagdad. Les collaborateurs de plusieurs ministres viennent spécialement dans l'ancien émirat pour emporter des stocks de produits de luxe. Saddam Hussein n'a pu mettre la main sur les gigantesques avoirs koweïtiens, gelés dans les heures qui suivirent l'invasion. Mais des convois spéciaux ont acheminé, de Koweït City à Bagdad, trois milliards de dollars en monnaies étrangères, un milliard de dollars en or, saisis à la banque centrale et dans les nombreux établissements financiers du pays.

Le 16, Saddam Hussein menace d'interner les Américains et les Britanniques résidant au Koweït et leur donne l'ordre de se regrouper dans un hôtel. Il menace également de renvoyer les soldats américains chez eux, « dans des cercueils ».

Le lendemain, le gouvernement irakien déclare que les Occidentaux sous son contrôle seront transférés sur des sites civils et militaires stratégiques, aussi longtemps que la menace de guerre demeurera. Le Conseil de sécurité de l'ONU demande au secrétaire général Perez de Cuellar d'agir pour obtenir la libération des étrangers. Au même moment, trente divisions irakiennes quittent la frontière iranienne pour renforcer les cent cinquante mille hommes déjà présents au Koweït.

Le 17, James Baker décolle de Washington pour son ranch du Wyoming où il prend quelques jours de vacances. Il continue d'être en contact quotidien avec Édouard Chevardnadze à Moscou. Une liaison triangulaire s'instaure. Baker, sur la suggestion de Bush, demande au Soviétique d'appuyer une résolution de l'ONU prévoyant l'usage de la force pour faire appliquer l'embargo. Une véritable partie de poker menteur va alors s'engager. Les Soviétiques traînent des pieds, croient encore à la possibilité d'une solution négociée, tandis que pour les Américains le temps presse.

Le 20 août, le vice-Premier ministre irakien, Saddoum Hammadi, est reçu à Moscou par les responsables soviétiques qui réclament le retrait inconditionnel du Koweït et la libération de tous les étrangers. Hammadi repart le lendemain pour Bagdad et Chevardnadze appelle immédiatement Baker.

– Attendez quarante-huit heures avant de faire voter une résolution par l'ONU. Le vice-Premier ministre irakien peut arriver à convaincre Saddam Hussein.

– Et s'il échoue, serez-vous à nos côtés dans deux jours ?

– Je vous le confirme très vite.

Le lendemain, Chevardnadze joint Baker en fin d'après-midi.

– Jim, nous avons besoin d'un délai.

– De combien ?

– Cinq jours, jusqu'au 27 août.

Baker marque un silence.

– Ceci me paraît trop long. Je dois en discuter avec le Président.

Baker appelle Bush. Rentré le 19 août de sa résidence du Maine, il s'est rendu le lendemain à Baltimore où devant une association de vétérans il a, pour la première fois, qualifié d'« otages » les étrangers détenus en Irak et au Koweït. Un mot qui revêt une charge émotionnelle et politique énorme aux États-Unis depuis l'affaire des diplomates américains détenus en 1980 à l'ambassade de Téhéran. Bush paraît agacé par la lenteur des Soviétiques et demande à Baker d'obtenir un délai plus court. Le secrétaire d'État rappelle Moscou et dit au Soviétique :

– Difficile d'accéder à votre demande. Nous sommes soumis à de fortes pressions, notamment des responsables du Pentagone qui demandent à pouvoir utiliser la force pour faire respecter l'embargo, sans attendre l'aval de l'ONU.

Chevardnadze soupire.

– Je sais, nous avons le même problème avec nos militaires qui estiment que nous faisons une erreur en vous appuyant. Selon eux, vous n'avez qu'un objectif : installer une présence militaire permanente au Moyen-Orient. Pour en revenir à la question de l'ONU, que proposez-vous ?

– Que nous fassions voter une résolution le 24 !

– Entendu.

– Mais nous aurons votre soutien, n'est-ce pas ?

La réponse de Chevardnadze est vague. Cependant, le lendemain 23 août, le chargé d'affaires soviétique à Washington, Sergeï Chetverikov, se présente au Département d'État. En témoignage de leur bonne volonté, les responsables soviétiques l'ont chargé de transmettre aux Américains l'intégralité du message adressé par Gorbatchev à Saddam Hussein. Le leader soviétique réclame le retrait du Koweït, la libération des étrangers et ajoute : « Nous avons différé un vote du Conseil de sécurité de l'ONU aussi longtemps que nous le pouvions. Nous vous demandons de nous transmettre votre réponse vendredi (24 août) soir au plus tard. »

Le ministre soviétique rappela son homologue américain dès qu'il eut reçu le message irakien.

– Que disent-ils? demanda Baker.

Chevardnadze semblait ulcéré par ce qu'il avait lu.

– Cela ne mérite même pas le moindre commentaire. En tout cas cela ne nous satisfait pas du tout. Vous pouvez aller aux Nations Unies, nous vous suivons.

Quelques minutes plus tard, le chef de la délégation américaine à l'ONU, Thomas Pickering, reçut l'ordre de Baker de maintenir les quinze membres du Conseil de sécurité en session aussi longtemps qu'une résolution n'aurait pas été votée. Le samedi 25 août, à quatre heures du matin, la résolution 665 autorisant l'usage de la force afin de faire respecter l'embargo était votée par treize voix contre zéro. Cuba et le Yémen s'étaient abstenus.

Le 27 août, Jesse Jackson embarqua à l'aéroport Kennedy de New York, sur un avion de la compagnie jordanienne. L'ancien candidat noir à la présidence des États-Unis inaugurait un genre qui allait faire fureur au cours des mois suivants : le voyage à Bagdad, une rencontre avec Saddam Hussein expliquant sa position et ses doléances, puis le retour dans le pays d'origine en compagnie d'une brassée d'otages. Le premier à ouvrir cette brèche avait été le président autrichien

Kurt Waldheim, ravi de trouver une occasion de briser la mise en quarantaine dont il faisait l'objet à l'étranger, en raison des controverses sur son passé durant la Seconde Guerre mondiale.

Le voyage de Jesse Jackson revêtait plus de poids parce qu'il s'agissait d'une personnalité américaine et que la crise en cours était avant tout une partie de bras de fer entre Bush et Saddam Hussein. Le pasteur noir s'envolait vers Bagdad, à la tête d'une équipe de télévision. Son objectif était de réaliser une interview du leader irakien. Le déroulement de sa visite révéla l'usage que Bagdad comptait faire de telles visites.

Il existait trois millions d'étrangers en Irak et au Koweït. Les plus forts contingents étaient les Égyptiens (1,6 million en Irak et 150 000 au Koweït), les Palestiniens (300 000 en Irak et 170 000 au Koweït), les Indiens, les Philippins. Mais ces travailleurs du tiers monde constituaient un moyen de pression et une monnaie d'échange infiniment moins efficaces que les Américains (2 500 au Koweït, 500 en Irak), les Britanniques (4 000 au Koweït, 500 en Irak) et les autres ressortissants européens.

Peu après leur arrivée, Jackson et sa délégation furent longuement reçus par Tarek Aziz. Pendant trois heures et demie, le ministre des Affaires étrangères expliqua en détail la position de son pays, refit un historique minutieux de la crise, se payant même le luxe de dire : « A plusieurs reprises au cours des négociations, le président Saddam Hussein s'est montré plus patient et plus conciliant que moi... A la fin du sommet de Djeddah (le 31 juillet, la veille de l'invasion) nous étions désespérés par le refus koweïtien. Nous ne pouvions plus payer nos importations de nourriture. C'était une véritable guerre pour nous affamer. Le roi Fahd d'Arabie Saoudite, lui-même, ne semblait pas préoccupé de savoir si nous avions faim. Nous sommes arrivés à la conclusion que c'était une conspiration montée pour détruire l'Irak, une conspiration que le Koweït n'aurait pas échafaudée sans l'appui d'une superpuissance. Pour nous cette conspiration visait à un effondrement économique de l'Irak, suivi d'un effondrement politique et d'un changement de régime. »

Lorsque Tarek Aziz eut achevé son exposé, un des journalistes accompagnant Jackson lui demanda :

– Comment l'Irak peut-il espérer bénéficier de la sympathie alors que les Américains ont encore en mémoire le spectacle des populations kurdes gazées en 1988 et la pendaison d'un journaliste britannique au début de l'année?

Le ministre irakien, surpris par la question, resta silencieux un moment, avant de répondre d'une voix basse :

– J'admets que c'est un problème.

Le soir Jesse Jackson fut reçu en tête à tête par Saddam Hussein. Une partie de la conversation tourna autour de Jésus et de son martyre. Le chef de l'État irakien estimait qu'il était, comme le Christ, la victime de condamnations préméditées et de jugements faux. Il reconnaissait avoir donné l'ordre de ne pas laisser partir les étrangers mais, ajoutait-il, « c'était une garantie de paix », estimant que le « blocus actuellement imposé sur la nourriture et les médicaments était plus impitoyable qu'une prise d'otages ». Saddam Hussein laissa transparaître une profonde amertume envers les États-Unis. Il se sentait insulté par l'absence de réponse américaine à ses « ouvertures successives » et confia, humilié : « Après mon entretien avec votre ambassadeur, le 25 juillet, les autorités américaines n'ont même pas demandé une transcription officielle de cette rencontre. Votre pays me traite avec la condescendance d'un pouvoir colonial envers une colonie. »

Le lendemain, Jackson put faire l'interview, après avoir séjourné brièvement à Koweït City. Pour des raisons de sécurité, l'entourage de Saddam Hussein exigea que le tournage soit assuré par des caméramen et du matériel de la télévision irakienne. Au terme de l'entretien, Jesse Jackson lui demanda si, dans un geste de bonne volonté « qui servirait les intérêts de la paix », il serait prêt à libérer immédiatement les otages. Saddam Hussein répondit d'un ton irrité :

– Dans plus d'une interview et à plus d'un journaliste, j'ai expliqué clairement ma position sur ce sujet. Il n'y a rien d'autre à ajouter.

Il se leva et, en un instant, il changea d'attitude et de physionomie. Plus aucune trace d'exaspération mais un sourire satisfait et une longue poignée de main à Jackson, soigneusement filmée par les caméras présentes. Il dit au pasteur américain d'un ton solennel, pour être bien entendu de tous : « Ce fut une bonne soirée et un échange humain profond. En l'honneur des Américains qui nous voient à la télévision, vous pourrez prendre avec vous les femmes et les enfants que j'autorise à partir, ainsi que quatre hommes qui paraissent malades. Vous volerez jusqu'aux États-Unis à bord d'un avion irakien. »

Alors que Jackson s'apprête à quitter Bagdad, le directeur général du ministère de la Défense israélien, David Ivri, se pose à Tel-Aviv. Il avait été envoyé en toute hâte à Washington pour des négociations secrètes avec les principaux responsables du Pentagone. Le gouvernement israélien s'inquiète des projets américains de ventes d'armes à l'Arabie Saoudite. L'accord avec Riyād porterait notamment sur vingt-quatre F-15 C, cent cinquante chars et deux cents missiles Stinger anti-aériens. Les Israéliens évaluent le montant de cette vente à près de 2,5 milliards de dollars. David Ivri est porteur d'un projet dans lequel Israël demande la possibilité d'acquérir immédiatement plus de matériel militaire, notamment des F16 et des missiles Apaches et Tow, ainsi que le versement, en une seule fois, dès le début de l'année fiscale, des 1,8 milliard de dollars d'aide militaire consentie par les États-Unis. Ivri rentre avec la promesse que les États-Unis vendront à Jérusalem pour 1 milliard de dollars d'armes sophistiquées.

Le même jour le gouvernement israélien reçoit un message de Gorbatchev transmis par l'intermédiaire du ministre français des Affaires étrangères, Roland Dumas, qui vient de le rencontrer. Moscou, à travers des informations obtenues à Bagdad, s'inquiète de l'éventualité d'une attaque irakienne sur Israël.

Pour Gorbatchev, la crise du Golfe n'est pas seulement une formidable occasion de prouver au reste du monde sa modération et son sens des responsabilités, en coopérant étroitement avec Washington. Il s'agit aussi d'un casse-tête et peut-être d'un piège. Il doit contenir l'offensive de certains centres de pouvoir encore puissants, notamment au sein de l'armée, de secteurs du KGB et au ministère des Affaires étrangères, qui conservent des liens étroits avec Bagdad. Tous « s'inquiètent de sa complaisance envers la stratégie américaine ». Gorbatchev a encore réaffirmé, le 31 août, que l'action des États-Unis était « conforme à la charte des Nations Unies ». On lui rétorque que Washington prépare la création d'une structure de sécurité collective dans le Golfe qui aboutira à une présence militaire américaine permanente dans cette région. Un projet qui l'embarrasse.

De plus, il s'est montré exaspéré que le Kremlin n'ait rien su des projets irakiens et le jour de l'invasion il avait convoqué à son bureau le ministre de la Défense, le maréchal Dimitri Iazov, un tenant de la ligne conservatrice. La conversation entre les deux hommes avait été tendue.

L'enquête révéla que le GRU, le service secret militaire, avait été tenu informé des préparatifs d'invasion, deux semaines avant qu'elle n'ait lieu. Le GRU bénéficiait de nombreux contacts en Irak, à travers les experts militaires et des officiels proches de Saddam. Pour justifier leur silence, les responsables du GRU expliquèrent que les renseignements obtenus leur avaient paru « exagérés ». C'était une défense plausible, mais ce silence pouvait aussi avoir été volontaire, pour placer le président soviétique dans l'embarras. De plus les Irakiens détenaient une monnaie d'échange : les conseillers militaires soviétiques toujours sur place, et dont le nombre exact restait confidentiel. Bagdad avait fait savoir à Moscou que leur retour serait entravé si les Soviétiques transmettaient aux États-Unis des « secrets militaires ».

Les analystes occidentaux les plus sceptiques soupçonnaient Gorbatchev de jouer un double jeu. D'une part la carte diplomatique et l'indignation, aux côtés de la communauté internationale. De l'autre, le maintien, en secret, d'une assistance militaire au régime de Bagdad, allié de l'URSS depuis près de vingt ans. En tout cas, il était clair que ces soupçons amoindrissaient la crédibilité de Gorbatchev.

Le 5 septembre au soir, il apparut au journal télévisé *Vremia* et fournit un compte rendu détaillé de sa journée, des audiences accordées. Il ne mentionna pas sa rencontre avec Tarek Aziz. Le ministre irakien des Affaires étrangères venait effectuer une visite éclair et avait été reçu « à sa demande par le président de l'URSS ». A l'issue de son entretien qualifié de « franc », ce qui dans la langue de bois soviétique signifie « difficile », l'Irakien déclara avec le sourire : « Sans hésitation, je peux encore appeler l'URSS un ami. » Une phrase dont l'apparente franchise était peut-être destinée à gêner Gorbatchev, à trois jours de sa rencontre au sommet avec George Bush, à Helsinki. La veille, prenant la parole à Vladivostok, Édouard Chevardnadze avait affirmé : « La communauté internationale ne peut tolérer les États prédateurs et les régimes pirates. »

L'URSS n'était pas le seul pays soupçonné de jouer un double jeu. Diverses sources autorisées vont, au cours des semaines suivantes, s'interroger sur la réalité de la position française. Certains iront même jusqu'à la qualifier d' « incertaine » et d' « ambigue ». La France aurait-elle négociée avec l'Irak la libération de ses otages? A Tunis et surtout à Amman des émissaires français, connus pour leurs liens privilégiés avec des dirigeants arabes et des services spéciaux du Moyen-Orient, ont probablement eu des contacts directs avec des officiels irakiens. On cite évidemment Claude Cheysson mais aussi Philippe Rondot, spécialiste des affaires arabes à la DGSE dont le père fut, de nombreuses années auparavant, à l'origine des services secrets syriens. Quel a été le prix payé? Certainement plus que le repli symbolique de cinquante kilomètres des cinq mille soldats français stationnés en Arabie Saoudite et l'abandon, sous prétexte de pénurie d'eau, de notre ambassade à Koweït.

Autre mystère qui pèse, lui, beaucoup plus lourd. Y a-t-il encore des Français en Irak? Des techniciens civils et peut-être aussi militaires, installés à Bagdad avant l'invasion du Koweït pour assurer la maintenance de nos matériels militaires, y seraient toujours en activité depuis la libération des otages et en dépit des résolutions de l'ONU.

Le 8 septembre, quelques heures avant que le Président américain et son homologue soviétique n'arrivent dans la capitale finlandaise, Saddam Hussein lança un avertissement à la télévision exigeant qu'il n'y ait pas d'ingérence étrangère dans le monde arabe et demandant à l'URSS de tout faire pour conserver son statut de superpuissance. Une remarque hostile et perfide qui sous-entendait qu'en collant aux positions américaines, Moscou perdait peu à peu de son influence et glissait vers un rôle subalterne.

Le 9 septembre, Bush et Gorbatchev tombèrent d'accord. Gorbatchev, qui avait convaincu le Président américain qu'il ne soutenait pas militairement l'Irak, obtenait le feu vert pour maintenir des liens, un contact, avec l'Irak. Il allait charger Evgueni Primakov, un de ses plus proches collaborateurs, de suivre le dossier. En échange, Gorbatchev autorisait Bush à poursuivre ses préparatifs de guerre. Une déclaration conjointe réaffirmait le désir de régler cette crise pacifiquement. Cependant, « si toutes les démarches en cours échouaient, nous sommes prêts à envisager d'autres initiatives en accord avec la charte des Nations Unies ».

La principale inconnue restait et demeure, encore aujourd'hui, la détermination de Saddam Hussein. Un coin du voile peut être levé à travers les confidences qu'il fit, à la fin du mois d'août, à Yasser Arafat et Abou Iyad venus le rencontrer.

Les chefs palestiniens le trouvèrent « totalement détendu ». Saddam parlait avec calme et leur confia : « Maintenant que la crise du Golfe a pris de l'ampleur, puis-je la réduire à des revendications sur deux îles et des puits de pétrole, spécialement depuis que je me suis retiré du Chatt al-Arab ? Ce n'est pas suffisant. Si je dis au peuple irakien que je me retire parce que j'ai réglé un problème aussi important que le problème palestinien, il comprendra. Mais si je m'en vais uniquement pour conserver des îles et des champs pétrolifères, le peuple ne l'acceptera jamais. Ce serait plus grave que de perdre la guerre. Je n'ai jamais dit que je suis prêt à me retirer. Pourquoi ? Parce que je crois que les soldats irakiens perdront leur moral s'ils sentent que je crois en un retrait. » Saddam ajoute : « Si j'avance une proposition de paix, c'est moi qui devrai faire des concessions. Si ce sont les autres qui proposent, alors je peux obtenir des concessions. »

Les trois hommes discutent de l'éventualité d'une guerre. Saddam l'envisage sans inquiétude. « Je suis parfaitement au courant, dit-il, de la supériorité technologique américaine, notamment dans le domaine aérien, mais je pense qu'ils ne pourront neutraliser qu'une partie des forces irakiennes et que les combats déterminants se dérouleront au sol. »

Il se met à décrire en détail la nature et l'ampleur des diverses offensives qui pourraient être lancées contre lui. Il semble avoir tout envisagé, soupesé : les pertes essuyées, les moyens de répliquer. Arafat affirme : « En l'écoutant j'étais stupéfait de son sang-froid. »

Le chef de l'OLP lui annonça que, selon des informations fiables, des opérations le visant personnellement étaient en préparation. Saddam Hussein éclata de rire et répondit : « Essayeriez-vous de m'effrayer ou de me pousser à me rendre ? C'est une plaisanterie. »

Saddam Hussein a-t-il fléchi depuis ?

Evgueni Primakov, l'envoyé spécial de Gorbatchev, l'a rencontré à plusieurs reprises. Au cours du mois d'octobre, à la fois sidéré et exaspéré par l'intransigeance de l'Irakien, le Soviétique se départit du langage diplomatique qu'il avait jusqu'alors employé :

– Monsieur le Président, si vous persistez les Américains vous feront la guerre et nous n'interviendrons pas pour l'empêcher.

– Je sais, répondit Saddam Hussein d'un ton presque détaché.

– Mais vous perdrez, rétorqua Primakov.

Saddam Hussein le regarda longuement, avant de répondre avec calme :

– Peut-être.

ÉPILOGUE

Bien que la crise du Golfe ne soit pas dénouée, nous avons dû choisir une date pour terminer ce livre et nous nous sommes finalement fixés sur celle du 29 novembre. Il nous semblait évident que la crise se poursuivrait quelque temps encore; il était non moins clair que sa solution devenait de plus en plus complexe. De dramatiques événements s'étaient en effet produits au Moyen-Orient à la mi-octobre.

Alors que nous étions en train de travailler sur notre livre dans le Midi de la France, il était évident que des éléments nouveaux intervenaient pour faire pression sur la coalition mondiale qui s'était formée contre Saddam Hussein afin de le contraindre à quitter le Koweït.

A ce moment-là, la une des journaux, la radio et la télévision étaient dominées par l'histoire des vingt et un Palestiniens tués le 8 octobre à Jérusalem sur l'esplanade des Mosquées et par la défaite infligée par l'armée syrienne le 13 octobre à Beyrouth au leader chrétien, le général Michel Aoun.

Le 12 août, dix jours après l'invasion du Koweït, Saddam Hussein avait déclaré que la crise ne pourrait être réglée que dans le contexte des autres conflits régionaux – présence israélienne dans les territoires occupés, occupation syrienne du Liban et pénétration d'Israël au Sud-Liban. Les gouvernements américain et israélien avaient alors réagi en traitant la proposition de Saddam Hussein de « propagande méprisable ».

Tandis que la crise suivait son cours, les déclarations de certaines puissances occidentales semblaient cependant admettre l'existence d'un lien entre les problèmes du Moyen-Orient. Ainsi, dans son discours du 24 septembre aux Nations Unies, le président François Mitterrand disait que les négociations pourraient s'ouvrir si Saddam Hussein indiquait son intention de quitter le Koweït. Le ministre des Affaires étrangères britannique, Douglas Hurd, a affirmé de son côté que le règlement du problème palestinien serait examiné en priorité une fois résolue la crise du Golfe. Le Président Bush lui-même, s'il s'abstenait d'établir un lien direct, reconnaissait que les problèmes du Moyen-Orient devraient être résolus après le retrait de Saddam Hussein du Koweït.

Les sanglants événements du 8 octobre à Jérusalem constituèrent pour Saddam Hussein un cadeau inespéré, en ce qu'ils détournaient l'attention mondiale vers le problème palestinien et plaçaient Israël dans une position extrêmement délicate. Les Israéliens déclarèrent aussitôt que les troubles avaient été fomentés par l'OLP à seule fin de compromettre Israël. Certains porte-parole israéliens allèrent même jusqu'à prétendre que l'Irak était vraisemblablement l'instigateur de cette manœuvre de l'OLP. Les leaders palestiniens soutinrent un point de vue opposé. Ils accusèrent les Israéliens d'avoir réagi de manière sanguinaire en prenant prétexte des agissements d'un groupe d'extrémistes israéliens, les « Fidèles du Temple », qui avaient annoncé leur intention de démolir une mosquée pour la remplacer par une synagogue. On sait que la police israélienne a effectivement interdit aux extrémistes de s'approcher de la mosquée. Il est tout aussi établi que les Palestiniens ont attaqué à coups de pierres les milliers de juifs en prière devant le Mur des lamentations. Mais il est non moins certain que les forces israéliennes ont ouvert le feu sur les Palestiniens après que les juifs eurent fui les lapidations et échappé à tout danger.

Plusieurs formations israéliennes ont critiqué leur gouvernement pour sa répression de la manifestation. Un groupe indépendant, le B'Tselem, qui surveille la présence israélienne dans les territoires occupés, accusa les forces de l'ordre d'avoir « tiré dans le tas » sur les Palestiniens, sans faire de discrimination entre les émeutiers, les badauds innocents et les secouristes. « Le tirs se poursuivirent alors même que la foule s'enfuyait et se dispersait dans toutes les directions; ils ne cessèrent même pas lorsque les ambulances et le personnel médical arrivèrent sur les lieux », accusèrent les enquêteurs dans leur rapport de trente-quatre pages.

Ces événements posèrent un grave problème au gouvernement américain, dont on connaît les relations anciennes et privilégiées avec Israël. Durant un débat de cinq jours au Conseil de sécurité des Nations Unies, il s'efforça de faire rédiger une résolution aussi indulgente que possible envers Israël. Ayant obtenu le soutien d'une majorité des pays arabes dans la crise du Golfe, les États-Unis n'étaient plus en mesure, en effet, d'imposer leur veto. Dans les jours qui suivirent l'émeute de Jérusalem, on constata que l'hostilité du monde arabe contre l'OLP pour son soutien à Saddam Hussein changeait de direction et prenait, une fois de plus, Israël pour cible. Ce revirement fut surtout sensible en Égypte, où le président Hosni Moubarak soutenait fermement la position américaine vis-à-vis de Saddam Hussein. La presse égyptienne refléta et amplifia cette volte-face politique provoquée par les événements de Jérusalem.

Lorsqu'elle fut finalement adoptée, la résolution de l'ONU ne blâmait pas seulement Israël pour sa répression des Palestiniens, elle prévoyait l'envoi sur les lieux d'une commission d'enquête des Nations Unies. Le gouvernement conservateur d'Itzhak Shamir réagit avec colère. Il reprocha aux États-Unis leur position dans l'affaire et rejeta catégoriquement la commission d'enquête des Nations Unies, en ajoutant que les représentants de l'ONU ne pourraient pénétrer dans le pays qu'en touristes. Le secrétaire d'État américain James Baker compara la réaction d'Israël devant la résolution des Nations Unies à celle de Saddam Hussein. Ceci ne fit qu'aggraver la tension entre Israël et les États-Unis, problème dont ceux-ci se seraient volontiers passés en pleine crise du Golfe. Dès le début de la crise, en effet, les États-Unis avaient conseillé à Israël d'adopter un profil bas afin d'éviter que l'opinion internationale y voie un « complot américano-sioniste ». Saddam Hussein l'avait parfaitement compris. Il avait déclaré à plusieurs reprises qu'en cas d'agression contre l'Irak par les forces américaines ou autres massées en Arabie Saoudite, il lancerait aussitôt des missiles sur Israël. Il savait qu'ainsi il impliquerait Israël dans le conflit et, du même coup, désagrégerait l'union des pays arabes contre l'Irak.

Le gouvernement israélien mena sa propre enquête sur les événements de Jérusalem, enquête dont il chargea l'ancien directeur du Mossad, Zvi Zamir. La commission entendit à huis clos son premier témoin le dimanche 14 octobre. Douze jours plus tard, le rapport Zamir innocentait pratiquement la police des frontières israélienne de la mort des vingt et un Palestiniens.

C'est sans doute leur fureur contre les États-Unis qui poussa les Israéliens à prendre une autre décision qui ne pouvait que détériorer les relations entre les deux pays. Ariel Sharon, ministre du Logement, annonça des projets de construction de logements à Jérusalem-Est pour les juifs émigrés d'Union soviétique. Or, les États-Unis avaient accordé à Israël leur garantie sur des emprunts se montant à 400 millions de dollars, à condition qu'aucune partie de cette somme ne soit utilisée pour la construction de logements dans les territoires occupés. Sharon déclara néanmoins que Jérusalem-Est n'était pas un territoire occupé mais faisait partie intégrante de la capitale de l'État d'Israël, assertion à laquelle pratiquement aucune puissance étrangère n'avait jamais accepté de souscrire.

La décision syrienne d'employer la force armée au Liban pour éliminer le général Aoun était également liée à la crise du Golfe. Longtemps condamnée par les États-Unis pour son soutien aux groupes terroristes, la Syrie était devenue leur alliée à la faveur de la crise. Haïssant depuis toujours Saddam Hussein, le président Hafez El Assad était trop heureux de se joindre à une force mondiale constituée dans le dessein de le chasser du Koweït, peut-être même du pouvoir. La visite du secrétaire d'État James Baker à Damas et ses longs entretiens avec Hafez El Assad avaient suscité des critiques aux États-Unis. Les familles des victimes du vol 103 de la PanAm, détruit par une explosion au-dessus du village écossais de Lockerbie en novembre 1988, s'en montrèrent particulièrement outragées. Elles avaient peine à croire qu'un des principaux dirigeants de leur pays se soit rendu en visite officielle chez un complice de cet attentat terroriste.

Mais le président Assad était maintenant rentré dans les bonnes grâces des États-Unis. Il envoyait un contingent armé en Arabie Saoudite et dans les Émirats arabes unis, il soutenait vigoureusement la position des États-Unis et les résolutions du Conseil de sécurité de l'ONU contre l'Irak. Selon une source syrienne de haut niveau, Assad avait reçu le feu vert de la Maison-Blanche quarante-huit heures avant qu'il ne s'apprête à encercler le réduit chrétien de Beyrouth et à chasser par la force le général Aoun.

Se voyant encerclé par les troupes syriennes, le général Aoun avait appelé Israël à l'aide, information confirmée par Uri Lubrani, coordinateur des opérations israéliennes au Liban. Pour lui, le rapprochement entre les Américains et les Syriens dans l'affaire du Golfe a permis l'emploi de la force par ces derniers pour se débarrasser du général chrétien : « Il est indiscutable que la Syrie s'est crue autorisée à user de la force au Liban du fait de son alliance avec les États-Unis. »

A l'issue d'un combat bref mais meurtrier, le général Aoun dut fuir le palais présidentiel de Beyrouth pour chercher refuge à l'ambassade de France. Il y est toujours. Le gouvernement du président Elias Hraoui refuse d'accéder à la demande française de laisser le général Aoun quitter le Liban pour s'installer en France et persiste à vouloir le juger pour corruption.

On notera avec intérêt que l'intervention syrienne à Beyrouth-Est n'a été publiquement critiquée ni par les États-Unis ni par aucune grande puissance. Elle a été présentée, au contraire, comme une généreuse tentative pour refaire l'unité du Liban. Il est certes important de rétablir la souveraineté bafouée de l'État libanais en pleine décomposition, mais il est plutôt difficile de considérer la longue occupation syrienne du Liban différemment de l'occupation irakienne du Koweït, même si les Syriens continuent de prétendre qu'ils ont pénétré au Liban uniquement dans le dessein d'y assurer la paix.

Si la Syrie, en se joignant à la coalition, a réussi à obtenir le feu vert pour intervenir au Liban, elle a tiré d'autres avantages de son ralliement. Elle n'a pas seulement fait cause commune avec les forces internationales par suite de son long antagonisme avec l'Irak. Tout d'abord, la Syrie se sentait isolée des principaux pays arabes, l'Égypte et l'Arabie Saoudite en particulier. Elle ne faisait partie ni du Conseil de coopération arabe, institué en 1989, ni de celui du Golfe, qui existait depuis quelques années. En se joignant à la coalition, la Syrie parvenait ainsi à abattre les murs qui la séparaient du reste du monde arabe et à s'associer à des pays avec lesquels elle n'entretenait pratiquement plus aucun rapport jusqu'alors. De même, les Syriens avaient vite compris la signification des événements survenus dans l'Europe de l'Est et l'Union soviétique, qui avaient été les principaux soutiens du régime de Hafez El Assad. Plongés dans de graves troubles économiques, ces pays ne seraient dorénavant plus en état de fournir à la Syrie leur aide économique et militaire. Il devenait donc urgent pour la Syrie de se trouver un nouvel et puissant allié – les États-Unis. Le gouvernement syrien comprit donc rapidement qu'en rejoignant les rangs de la coalition, il normaliserait ses rapports avec Washington, même si les Américains avaient longtemps condamné le rôle de leader terroriste tenu par la Syrie au Moyen-Orient.

En dépit de ces améliorations, il restait cependant aux Syriens d'autres motifs à leur sentiment de frustration. Le premier, et le plus important, tenait à l'octroi de 700 millions de dollars par les États-Unis à Israël pour le renforcement de ses systèmes antimissiles. Les Syriens attaquèrent vigoureusement cette décision, considérée comme une manière pour les États-Unis de lier la crise du Golfe au conflit israélo-arabe. La Syrie n'admettait pas davantage l'aide financière accordée par l'Ouest et ses alliés à certains pays comme l'Égypte. Les États-Unis avaient annulé 7 milliards de dollars de la dette extérieure de l'Égypte, à qui les pays pétroliers du Golfe avaient par ailleurs accordé une subvention de 5 milliards de dollars. La Syrie, en revanche, était toujours sous le coup des sanctions économiques infligées par les États-Unis et la Grande-Bretagne et ne bénéficiait d'aucune aide financière qui lui aurait permis de résoudre les problèmes les plus urgents de son économie.

Le mécontentement syrien était aussi diplomatique. Ainsi, la Grande-Bretagne avait renoué ses relations diplomatiques avec l'Iran mais refusait de les établir avec la Syrie. Elles avaient été rompues en 1986, lors de la découverte d'une bombe dans un appareil d'El Al à l'aéroport de Heathrow. Les Britanniques accusaient alors la Syrie d'avoir organisé l'attentat et avaient rompu leurs relations diplomatiques. Depuis, malgré la nouvelle position syrienne en faveur de la coalition anti-irakienne, le Premier Ministre Margaret Thatcher avait refusé de revenir sur cette décision. Les Syriens ont enfin un dernier sujet de mécontentement. Malgré leur haine contre l'Irak, ils considèrent toujours ce pays comme un important soutien éventuel en cas de guerre avec Israël. C'est pourquoi, dès le début, le gouvernement syrien a nettement déclaré que ses troupes ne sont en Arabie Saoudite qu'afin de défendre le royaume et non pour attaquer l'Irak. De même, il continue à marquer sans ambiguïté sa préférence pour une solution pacifique plutôt qu'une guerre contre l'Irak. Les Syriens aimeraient que le problème du Koweït soit résolu mais ne souhaitent pas pour autant voir l'Irak perdre sa puissance militaire. Ils ne désirent pas la guerre, car de nombreux dirigeants syriens craignent qu'elle soit provoquée par Israël qui en profiterait pour chasser Saddam Hussein du pouvoir et briser la puissance militaire irakienne.

D'autres événements d'importance se sont produits au Moyen-Orient au cours des dix jours précédant la conclusion de notre livre.

Le 18 novembre, soit trois mois et demi après le déclenchement de la crise du Golfe, trente-quatre chefs d'État et de gouvernement d'Europe de l'Est et de l'Ouest, des États-Unis et du Canada, se sont réunis à Paris pour le sommet de la CSCE, entérinant la fin de la guerre froide. C'est alors qu'est parvenu de Bagdad un message de Saddam Hussein, annonçant que tous les otages étrangers seraient libérés à partir de Noël. Cette déclaration n'avait rien de surprenant. Depuis le début de la crise, Saddam Hussein a intelligemment manipulé la question des otages dans l'espoir d'affaiblir le soutien de l'opinion internationale à une attaque armée contre son pays. Sa dernière initiative ne manquerait pas d'être rejetée, comme les précédentes, par les États-Unis, comme une nouvelle manœuvre de propagande. Le lendemain matin, en effet, après un petit déjeuner en compagnie du Premier Ministre Margaret Thatcher, le Président Bush dénonçait la libération au compte-gouttes de ces otages et déclarait que si Saddam Hussein désirait une solution pacifique, il n'avait qu'à se comporter au Koweït ainsi qu'il l'avait fait avec l'Iran, en « exécutant un demi-tour complet. Nul n'aura besoin de tirer un coup de feu s'il fait ce qu'il doit, c'est-à-dire se soumettre sans réserve aux conditions édictées par les résolutions des Nations Unies ».

Mais alors que s'ouvrait la conférence de la CSCE, on constatait à l'évidence que la crise du Golfe devenait de plus en plus complexe. George Bush et le secrétaire d'État James Baker n'étaient pas seulement venus à Paris afin de participer à la conférence, mais aussi et surtout dans le but de convaincre la France et l'Union Soviétique de la nécessité d'une nouvelle résolution des Nations Unies autorisant une action militaire contre l'Irak. A l'issue d'un entretien entre Baker et le ministre des Affaires étrangères français Roland Dumas, l'entourage du secrétaire d'État laissa entendre que la France était d'accord pour soutenir une telle résolution. Les Américains firent circuler un message similaire après le dîner ayant réuni Bush et Mitterrand. L'Élysée ne tarda pas à faire savoir qu'aucun accord dans ce sens n'était intervenu. Si la France en admettait le « principe », elle refusait de soutenir la résolution avant qu'elle ne soit débattue au Conseil de sécurité. Mitterrand précisa finalement sa position au cours d'une conférence de presse au terme de la réunion de Paris, en déclarant qu'une nouvelle résolution serait adoptée sous trois semaines et autoriserait vraisemblablement l'usage de la force

Les choses se passèrent à peu près de la même façon avec les Soviétiques. Baker eut trois rencontres avec Édouard Chevardnadze, et Bush s'entretint avec Gorbatchev. Les Soviétiques envisageaient sans enthousiasme une résolution « musclée » du Conseil de sécurité. Le porte-parole de la délégation soviétique affirma à plusieurs reprises que la position de son pays se fondait sur « la patience ». Avant son départ de Paris, néanmoins, Gorbatchev apparut à la télévision française et s'en prit avec vigueur à l'Irak et à Saddam Hussein : « La situation est extrêmement dangereuse, déclara-t-il. Nous devons agir, nous devons nous montrer fermes et déterminés. Le Conseil de sécurité des Nations Unies doit se réunir sans délai afin de discuter de la situation et de prendre une décision. »

Avant son arrivée à Paris, Bush avait annoncé qu'il renforçait la présence américaine dans le Golfe par l'envoi de deux cent mille hommes supplémentaires, ce qui avait amené les observateurs à formuler deux scénarios. Selon le premier, un déploiement de troupes d'une telle importance exigerait plusieurs mois et, par conséquent, interdirait toute action militaire avant la fin de janvier ou le début de février. Selon le second, l'annonce de renforts serait plutôt de nature à dissimuler la préparation d'une attaque imminente dans le courant de décembre.

Ceux qui gardaient l'espoir d'une solution arabe avaient d'ores et déjà perdu leurs illusions. Au début de novembre, le roi Hassan II du Maroc avait proposé de réunir un sommet arabe pour résoudre la crise. Mais alors que l'Irak s'empressait de soutenir la proposition, elle était non moins rapidement rejetée par les principaux États arabes, en particulier l'Égypte, la Syrie et l'Arabie Saoudite.

Les tenants d'une solution négociée étaient aussi déçus. Le médiateur soviétique Evgueni Primakov, qui faisait la navette entre les pays du Moyen-Orient, y compris l'Irak, dans l'espoir de promouvoir une solution pacifique, suggérait de proposer des concessions à Bagdad. C'était alors quelque chose que les États-Unis ne pouvaient ni ne voulaient accepter. En fait, Bush s'était placé de lui-même dans une position difficile à modifier et virtuellement impossible à négocier. Il avait déclaré qu'aucune négociation ne serait engagée avec Saddam Hussein tant que l'Irak ne se serait pas retiré du Koweït, tant que la famille royale koweïtienne n'aurait pas repris le pouvoir et que les otages étrangers n'auraient pas été tous libérés. A chacune de ses interviews, Saddam Hussein rejetait ces conditions. Alors que l'un des auteurs, Pierre Salinger, se trouvait à Bagdad au début de septembre, le ministre des Affaires étrangères irakien lui fit savoir que Saddam Hussein désirait engager un débat télévisé avec George Bush. L'information fut transmise à la Maison-Blanche qui répondit pas un « non » catégorique. Dans une interview accordée à Bagdad le 15 novembre à Peter Jennings, correspondant de la chaîne ABC, Saddam Hussein souligna qu'il était prêt à engager des pourparlers avec les États-Unis et l'Arabie Saoudite mais « sans conditions préalables », ce qui voulait dire qu'il ne se retirerait pas du Koweït avant d'avoir obtenu une solution négociée. Les positions de George Bush et de Saddam Hussein paraissaient manifestement inconciliables. Faute du retrait unilatéral de Saddam Hussein, faute de solution arabe, faute de solution négociée, on allait, sauf coup de théâtre, vers la guerre.

Le 29 novembre 1990, le Conseil de sécurité des Nations Unies adopta une résolution autorisant le recours à la force contre l'Irak, avec une clause fixant à Saddam Hussein une date limite pour l'évacuation du Koweït – le 15 janvier 1991. Cela signifiait que la guerre ne pourrait être déclenchée avant la fin de janvier ou le début de février 1991 Bien entendu, il suffirait que Saddam Hussein se livre à une provocation militaire pour que la guerre éclate plus tôt.

C'est alors que le coup de théâtre arriva. Le lendemain même du vote de la résolution, George Bush proposa l'ouverture de discussions avec l'Irak, suggérant que Tarek Aziz se rende à Washington et que Baker aille à Bagdad. Il fallut vingt-quatre heures à Saddam Hussein pour réagir et répondre positivement. Le danger de guerre n'est toujours pas écarté, mais le Président américain, par cette initiative, disposait de deux atouts : le vote de l'ONU lui donnait les mains libres pour agir militairement et en même temps lui permettait de ne pas faire passer d'éventuelles négociations pour une preuve de faiblesse.

Désormais, il pouvait brandir à la fois le glaive et le rameau d'olivier.

ANNEXES

NOTE ADRESSÉE PAR LE MINISTRE DES AFFAIRES ÉTRANGÈRES IRAKIEN, M. TAREK AZIZ, AU SECRÉTAIRE GÉNÉRAL DE LA LIGUE DES ÉTATS ARABES LE 16 JUILLET 1990

Monsieur le Secrétaire général de la Ligue des États arabes,

Salutations fraternelles,

Je tiens à rappeler d'emblée les principes auxquels croit l'Irak et qu'il a toujours appliqués à la lettre et avec fidélité dans ses relations arabes.

L'Irak considère que les Arabes constituent, au-delà des frontières étatiques, une même nation, que leurs biens doivent appartenir et profiter à tous, que le mal qui frappe l'un d'entre eux les touche tous. C'est sur cette base que l'Irak a toujours considéré les richesses de la Nation arabe et qu'il a géré ses richesses propres.

L'Irak considère également que, malgré tout ce qu'a enduré la Nation arabe durant la période ottomane, puis sous le joug de la colonisation occidentale, de mépris, de divisions, de répression et de tentatives de dénaturation de l'identité nationale, les composantes de son unité demeurent solides et vivaces. Malgré sa division en États, le monde arabe n'en demeure pas moins une même patrie dont chaque pouce, ici ou là, dans tel pays ou dans tel autre, doit être considéré selon une vision nationaliste et plus particulièrement selon les exigences de la sécurité nationale arabe commune. Il faut éviter de sombrer dans le gouffre d'une vue étroite et égoïste lorsqu'il est question des intérêts et des droits de tel ou tel pays. Les intérêts supérieurs de la Nation arabe ainsi que les calculs stratégiques essentiels à la sécurité nationale arabe doivent être toujours présents à l'esprit et doivent primer dans les relations interarabes.

C'est sur la base de ces principes nationalistes, fraternels, fidèles et sincères que l'Irak a établi ses relations avec le Koweït et ce, en dépit de la réalité connue des rapports passés et présents entre l'Irak et le Koweït.

Ce qui a motivé la présente note, c'est que nous nous trouvons, hélas, confrontés à une situation qui, du fait de la politique du gouvernement koweïtien, est non seulement en totale contradiction avec les principes nationalistes que nous venons d'évoquer, mais les menace dans leur essence.

Bien que nous ayons toujours fait prévaloir des rapports de fraternité sincère et veillé à la poursuite du dialogue avec eux à tout moment, les responsables koweïtiens ont entrepris, méthodiquement et sciemment, de nuire à l'Irak, cherchant à l'affaiblir au moment où il sortait d'une terrible guerre de huit ans, durant laquelle, et de l'avis de tous les Arabes sincères, dirigeants, intellectuels et citoyens, y compris les chefs des États du Golfe, l'Irak a défendu la souveraineté de la Nation arabe tout entière, surtout celle des pays du Golfe et plus particulièrement celle du Koweït.

Le gouvernement koweïtien a donc poursuivi cette politique délibérée d'affaiblissement de l'Irak au moment où ce dernier était confronté à une campagne impérialiste-sioniste féroce en raison de ses positions nationalistes dans la défense des droits des Arabes. Le Koweït était animé en cela, hélas, par son égoïsme, l'étroitesse de ses vues mais aussi d'objectifs qui se révèlent être d'une très grande gravité et qui sont développés dans les pages qui suivent :

Premièrement : On sait que, depuis l'ère coloniale et les divisions qu'elle a imposées à la Nation arabe, un problème frontalier est demeuré en suspens entre l'Irak et le Koweït, que les contacts établis dans les années soixante et soixante-dix n'ont pas réussi à régler et qui était resté posé au moment du déclenchement de la guerre entre l'Irak et l'Iran.

Durant les longues années de guerre et pendant que les vaillants fils de l'Irak versaient leur sang précieux sur le front pour défendre la terre arabe, y compris celle du Koweït, pour sauvegarder la souveraineté et la dignité arabes, y compris celles du Koweït, le gouvernement de ce pays en a profité – exploitant l'attachement de l'Irak à ses principes nationalistes authentiques et la noblesse de ses méthodes dans ses relations avec les frères et dans le traitement des questions arabes – pour mettre à exécution un plan de grignotage planifié et prémédité du territoire irakien et a entrepris d'édifier des installations militaires, des infrastructures pétrolières et des exploitations agricoles sur le sol irakien. Nous nous étions contentés d'y faire allusion considérant que cela devait suffire, entre frères, à nous faire comprendre, dans le cadre des principes de fraternité auxquels nous pensions que tous étaient attachés. Mais la traîtrise a continué avec acharnement, ce qui en confirme le caractère prémédité et planifié.

Après la libération de Fao, nous avions pris l'initiative – au cours du sommet d'Alger en 1988 – d'informer la partie koweïtienne de notre volonté sincère de régler cette affaire à l'amiable, dans le cadre des relations fraternelles et de l'intérêt supérieur de la Nation. Sa réponse fut alors fort surprenante. Il aurait été logique en effet que les responsables koweïtiens accueillent notre initiative avec joie et œuvrent pour que cette affaire soit rapidement réglée. Or, ce que nous avons remarqué de leur part, c'est une hésitation et une lenteur délibérées et des difficultés créées de toutes pièces pour entraver la poursuite des pourparlers, tandis que se poursuivait parallèlement l'atteinte à notre souveraineté, par l'édification des installations pétrolières, militaires et agricoles sur le sol irakien.

Notre patience, face à ces agissements, n'est due qu'à notre sagesse et à notre honnêteté et nous aurions pu en supporter davantage mais les choses avaient pris une tournure si grave qu'il n'était plus possible de se taire. Cela fera l'objet du deuxième point que nous développerons ci-après. L'Irak a conservé le dossier de cette affaire qui prouve – documents à l'appui – tous les dépassements commis par le gouvernement koweïtien.

Deuxièmement : Le gouvernement koweïtien a adopté depuis quelques mois, précisément depuis que l'Irak a clamé haut et fort les droits du peuple palestinien et a mis en garde contre la présence américaine dans le Golfe, une politique injuste dont l'objectif est de porter atteinte à la Nation arabe et plus particulièrement à l'Irak. Le Koweït a ainsi mis au point, avec la complicité des Émirats arabes unis, un complot visant à inonder le marché du pétrole par un surplus de production hors du quota qui leur a été alloué par l'OPEP, invoquant en cela des prétextes sans fondements, irrationnels et injustes et qui n'ont été partagés par aucun autre pays frère producteur. Cette politique a abouti à un effondrement dangereux du prix du pétrole. En effet, après la chute enregistrée quelques années auparavant par rapport aux moyennes mondiales situées alors à 24, 29 et 28 dollars le baril, l'attitude des gouvernements du Koweït et des Émirats a provoqué l'effondrement des prix, les faisant passer du minimum – déjà modeste – consenti dans le cadre de l'OPEP et fixé à 18 dollars le baril, à un prix situé entre 11 et 13 dollars le baril. Une simple opération mathématique permet de calculer les pertes considérables subies alors par les pays arabes producteurs de pétrole.

1) La moyenne de la production arabe de pétrole étant de 14 millions de barils/jour, l'effondrement des prix enregistré entre 1981 et 1990 a fait perdre aux pays arabes environ 500 billions de dollars dont 89 billions à l'Irak. Si l'ensemble des pays arabes n'avait pas perdu ces sommes considérables il aurait pu en consacrer ne serait-ce que la moitié au développement national et à l'aide aux pays arabes pauvres.

En prenant comme base le niveau minimum des prix fixé par l'OPEP en 1987 – c'est-à-dire 18 dollars le baril –, la perte subie par les pays arabes se chiffre à 25 billions de dollars en raison de l'effondrement des prix.

2) Chaque fois que le prix du brut baisse d'un dollar, l'Irak perd un billion de dollars sur l'année. Les prix ayant, cette année, baissé de plusieurs dollars en dessous des 18 dollars fixés par l'OPEP en raison de la politique koweïto-émirati, l'Irak a subi un manque à gagner de plusieurs billions de dollars au moment où son économie souffre de difficultés financières dues aux dépenses militaires consenties pour la défense légitime de son territoire, sa sécurité et ses biens sacrés ainsi que des territoires des Arabes, de leur sécurité et de leurs biens sacrés, tout au long de l'épopée des huit ans. Ces pertes considérables dues à l'effondrement des cours du brut n'ont pas été subies par les seuls pays producteurs. Leurs effets ont atteint d'autres pays amis qui bénéficiaient de l'aide de ces pays; les capacités de ces derniers en termes d'aide au développement ont baissé à tel point que certains d'entre eux ont été amenés à les suspendre.

La situation des organisations panarabes spécialisées s'est également dégradée. Celles-ci ont connu des crises graves et vivent actuellement une conjoncture des plus délicates, les subventions dont elles bénéficiaient ayant diminué ou ayant été suspendues.

Le gouvernement du Koweït ne s'est pas contenté de ces atteintes. Il en a commis d'autres à l'encontre de l'Irak plus précisément. Il a en effet installé une infrastructure pétrolière sur la partie sud du champ irakien de Roumaylah et a commencé à en extraire du pétrole. Il s'est donc avéré qu'il inondait le marché mondial avec du pétrole dont une partie provient du champ de Roumaylah. L'Irak a donc subi, ainsi, un double préjudice : l'affaiblissement de son économie d'abord au moment où il avait le plus besoin de ses ressources, et la spoliation de ses richesses ensuite. La valeur du pétrole extrait par le Koweït du champ de Roumaylah par le recours à cette méthode contraire aux règles de bon voisinage et sur la base des prix en cours entre 1980 et 1990 est estimée à 2 400 millions de dollars.

Nous enregistrons devant la Ligue des États arabes et devant l'ensemble des pays arabes, le droit de l'Irak à recouvrer les sommes qui lui ont été spoliées ainsi que son droit à exiger réparations des atteintes et du préjudice dont il a été victime. Nous avions exposé les dangers de la politique suivie par le Koweït et les Émirats aux pays arabes producteurs à plusieurs reprises, y compris au Koweït et aux Émirats; nous nous en étions plaints et les avions mis en garde. Au sommet de Bagdad, le président Saddam Hussein avait évoqué cette question devant les chefs d'État arabes et en présence des parties concernées, avec franchise et dans un esprit fraternel. (Le texte du discours de Son Excellence le président est joint à ce document.) Nous étions convaincus alors que les gouvernements du Koweït et des Émirats allaient renoncer à cette politique d'autant plus que le sommet de Bagdad avait permis de réaliser un climat de rapprochement positif. Il a été douloureux de constater qu'en réalité toutes les démarches bilatérales et les contacts que nous avions entrepris avec les pays frères pour qu'ils interviennent auprès des gouvernements koweïtien et émirati afin de les convaincre de renoncer à cette méthode sont restés vains, et qu'en dépit du discours prononcé par le président Saddam Hussein au sommet de Bagdad, ces deux États ont délibérément poursuivi cette politique. Certains de leurs responsables ont même été jusqu'à faire des déclarations insolentes lorsque nous avions évoqué ces vérités et nous en étions plaints.

C'est pourquoi il ne nous reste plus qu'à tirer les conclusions des agissements des gouvernements koweïtien et émirati. Il s'agit bien d'une politique préméditée aux visées sombres et il était évident que cette politique qui a abouti à l'effondrement des prix du brut allait en définitive porter atteinte à l'économie de ces pays eux-mêmes.

Il ne nous restait donc plus qu'à conclure que ceux qui ont voulu cette politique de manière aussi directe et aussi nette, ceux qui l'ont soutenue et l'ont encouragée, ne sont que les exécutants d'une partie du plan impérialo-sioniste dirigé contre l'Irak et contre la Nation arabe, d'autant plus que le moment choisi pour son application coïncide avec les menaces proférées par Israël et par les impérialistes à l'encontre du monde arabe et plus particulièrement de l'Irak. En effet, comment aurions-nous pu faire face à cette menace sérieuse et conserver cet équilibre de force que l'Irak a réussi à instaurer au prix de tout ce qu'il a enduré pendant la guerre alors que la principale source de revenus irakienne subissait cet effondrement à l'instar de tous les autres pays arabes exportateurs de pétrole, c'est-à-dire l'Arabie Saoudite, le Qatar, Oman, le Yémen, l'Égypte, la Syrie, l'Algérie et la Libye ? Ajoutons à cela les conséquences désastreuses de cette politique sur les capacités de ces pays à faire face aux graves problèmes économiques et sociaux qui se posent à eux de manière vitale.

A quel destin les gouvernements du Koweït et des Émirats cherchent-ils à vouer la Nation arabe en ces circonstances difficiles, délicates et graves ? Au service de quelle politique et pour le compte de quels objectifs œuvrent-ils ?

Après avoir exposé ce problème à tous nos frères et après avoir demandé directement aux deux gouvernements impliqués de mettre fin à cette politique destructrice en leur expliquant les énormes préjudices qu'elle cause, et cela, avant, pendant et après le sommet de Bagdad ; après avoir envoyé des émissaires et des lettres, nous condamnons l'action des gouvernements de Koweït et des Émirats la considérant comme une agression directe contre l'Irak et, bien évidemment, contre l'ensemble de la Nation arabe.

Le gouvernement du Koweït, quant à lui, a commis à l'encontre de l'Irak une double agression. En s'emparant d'abord d'une partie de sa terre et de ses champs pétroliers et en spoliant ses richesses nationales. Un tel acte est déjà assimilable à une agression militaire. En cherchant ensuite délibérément à asphyxier l'économie irakienne au moment où l'Irak fait déjà l'objet de menaces impérialo-sionistes sans merci, cela constitue également une agression aussi grave qu'une agression militaire.

Si nous exposons aujourd'hui à nos frères arabes les éléments de cette douloureuse réalité, c'est dans l'espoir de les voir intervenir afin de faire entendre la voix de la raison et mettre un terme à cette agression caractérisée en conseillant aux contrevenants de reprendre le droit chemin et de tenir compte des exigences de l'intérêt national commun et celles de la sécurité nationale commune.

Troisièmement : Pour ce qui est des intérêts suprêmes de la Nation arabe et du lien entre les richesses arabes et l'avenir de notre nation, nous présentons la proposition suivante :

Que l'ensemble des pays arabes, producteurs de pétrole ou pas, s'accordent, sur la base d'une solidarité politique forte, à hausser le prix du pétrole à 25 dollars, qu'ils créent ensuite un fonds d'aide et de développement arabe à l'instar de ce qui était prévu par le sommet d'Ammān. Ce fonds serait approvisionné sur la base de chaque dollar supplémentaire par baril vendu par les pays producteurs à plus de 15 dollars et pourrait récolter ainsi la somme de 5 milliards de dollars annuels. Tandis que, dans le même temps, les pays producteurs verraient leurs revenus augmenter et pourraient se protéger de toutes les tentatives d'affaiblissement de la Nation arabe à travers la diminution de ses revenus pétroliers.

Imaginez combien une telle somme fixe pourrait consolider la sécurité nationale arabe et assurer des moyens de développement à tous les États arabes pour faire face à la grave crise économique que connaissent la plupart d'entre nous.

L'Irak soumet cette proposition sérieusement à l'étude et le prochain sommet arabe du Caire pourrait être l'occasion de l'examiner et de l'adopter.

Quatrièmement : Évoquant ces réalités douloureuses, il nous semble nécessaire de lever toutes les équivoques chez nos frères à propos de l'aide fournie par le Koweït et les Émirats à l'Irak pendant la guerre.

Tous les Arabes sincères s'accordent à reconnaître que la guerre que l'Irak a dû livrer n'était pas pour la défense de sa seule souveraineté mais pour la défense du flanc oriental du monde arabe et de l'ensemble de la Nation, notamment la région du Golfe. Les dirigeants du Golfe, eux-mêmes, l'ont reconnu clairement.

Cette guerre était donc une bataille nationale commune dont l'Irak s'est chargé pour la défense de la sécurité de notre nation et du Golfe en particulier.

Au cours de la guerre, l'Irak a reçu diverses formes d'aide de la part des pays frères du Golfe dont la majeure partie était, alors, sous forme d'emprunts sans intérêts. L'Irak a reçu « l'aide » sous cette forme durant le début de la guerre, c'est-à-dire jusqu'en 1982, puis l'Irak n'a plus discuté de cette aide, espérant que la guerre ne durerait pas longtemps et qu'il pourrait rapidement après recouvrir toute sa force économique.

Mais la guerre s'est prolongée et son coût s'est accru considérablement. Les équipements militaires achetés par l'Irak ont coûté, à eux seuls, 102 milliards de dollars, payés en devises, sans parler des autres dépenses militaires et civiles qui ont atteint des sommes considérables en huit ans de guerre féroce qui s'étendait sur un front de 1 200 kilomètres.

Quoique l'aide fournie par les pays frères ne représentât qu'une infime partie de ce qu'a payé l'Irak économiquement et humainement dans la défense de la souveraineté et de la dignité de la Nation, la direction irakienne a tout de même exprimé sa profonde gratitude à tous les frères qui ont fourni cette aide. Le président Saddam Hussein l'a publiquement exprimé au cours des visites faites à l'Irak par certains des chefs d'État frères du Golfe.

Cependant, la réalité amère que tout Arabe doit savoir, c'est que la majeure partie de ces aides étaient enregistrées sous forme de dette irakienne, y compris envers le Koweït et les Émirats. Nous en avons parlé, en toute fraternité, il y a plus d'un an aux intéressés mais ils ont fait la sourde oreille.

En outre, le Koweït a marqué comme dette à son actif, les quantités de pétrole irakien extraites de la région d'Al-Khafji et vendues pour le compte de l'Irak après la fermeture du pipeline qui traversait la Syrie, bien que ces quantités aient été vendues en surplus du quota que lui allouait l'OPEP. Pour présenter la réalité complète à ce sujet, il nous faut éclairer un aspect important du marché pétrolier pendant la guerre.

L'Irak était, avant la guerre, l'un des principaux producteurs de pétrole avec environ 2,6 millions de barils par jour. Lorsque la guerre s'est déclenchée, sa production a été totalement arrêtée pendant plusieurs mois puis il a recommencé à produire de petites quantités à travers la Turquie, puis la Syrie et ce jusqu'en 1982, où le pipeline a été coupé. Les exportations de l'Irak par le Sud se sont totalement arrêtées de 1980 à 1985 date de l'ouverture du pipeline par l'Arabie Saoudite. Les pertes de l'Irak durant cette période se sont élevées jusqu'à 106 milliards de dollars.

En fait cette somme est retournée dans les caisses

des autres pays producteurs de la région qui ont augmenté leurs exportations de pétrole pour compenser l'absence du pétrole irakien pendant huit ans. Un calcul simple peut nous montrer que les « dettes » de l'Irak envers le Koweït et les Émirats sont nettement compensées par les surplus en bénéfices pétroliers du fait de l'augmentation de la production pendant les années de guerre.

La question qui se pose est de savoir : si l'Irak, en prenant toute la responsabilité de la défense de la sécurité de la Nation arabe et de sa dignité comme la protection des richesses des pays du Golfe qui seraient tombées dans les mains étrangères, si l'Irak avait perdu, doit-il considérer, malgré tout, l'aide qui lui a été donnée comme une « dette » ?

Les États-Unis n'avaient-ils pas octroyé des sommes considérables, provenant de leurs contribuables, en aide à l'Union soviétique et à ses alliés occidentaux, bien qu'ils n'appartiennent pas à la même nation, au cours de la Seconde Guerre mondiale ? Tandis qu'au lendemain de la guerre, dans le cadre du plan Marshall, l'Amérique a octroyé des sommes considérables pour la reconstruction de l'Europe et a agi selon une vision stratégique globale pour l'intérêt et la défense du camp auquel elle appartenait et qui a participé à la guerre contre un ennemi commun. Comment donc continuer de considérer les sommes octroyées à l'Irak par ses frères arabes comme des dettes alors qu'il a sacrifié des multiples de cette somme, de sa propre trésorerie, durant les années de cette guerre féroce tandis que sa jeunesse a donné tout son sang pour la défense de la terre arabe, de sa dignité et ses richesses ?

La logique nationale et la logique de la sécurité régionale ne commandent-elles pas, au regard du précédent américain, que ces pays, non seulement annulent la dette de l'Irak, mais qu'ils préparent même un plan arabe, à l'instar du plan Marshall, pour compenser une partie des pertes irakiennes pendant la guerre ?

Ainsi devrait être la logique de la Nation si seulement il existait un sentiment d'appartenance à l'arabité et un souci de la sécurité de la Nation. Au lieu de cela, nous voyons deux des gouvernements du Golfe que l'Irak a protégés en versant le sang de ses fils et contribué même à enrichir, chercher aujourd'hui à détruire l'économie irakienne en diminuant ses ressources tandis que l'un d'entre eux, le Koweït, va même jusqu'à voler les richesses de ceux qui ont protégé ses terres.

Nous présentons ces vérités amères à la conscience de chaque Arabe sincère, et en premier lieu au peuple du Koweït frère afin qu'il puisse estimer notre douleur et le préjudice qui nous est causé.

Tarek Aziz
Vice-Premier ministre,
ministre des Affaires étrangères
de la République d'Irak
Bagdad, le 15 juillet 1990

Lettre du 24 octobre 1990 adressée par le Premier ministre-adjoint, ministre des Affaires étrangères d'Irak au secrétaire général des Nations Unies

J'ai l'honneur de vous transmettre ci-joint une lettre adressée le 22 novembre 1969 au ministre de l'Intérieur de l'ancien régime koweïtien par le directeur général du département de la Sûreté nationale. Ce document dangereux démontre la conspiration existant entre ce gouvernement et le gouvernement des États-Unis pour déstabiliser la situation en Irak.

J'ai déjà évoqué cette conspiration dans une lettre datée du 4 septembre 1990, que j'ai adressée aux ministres des Affaires étrangères des différents États du monde. Dans cette lettre, j'expliquais comme suit l'arrière-plan historique de la question et les menées conspiratrices des dirigeants du Koweït contre l'Irak :

« Il faut donc en conclure que les dirigeants de l'ancien régime avaient la volonté de poursuivre leurs conspirations pour détruire l'économie de l'Irak et déstabiliser son système politique. On ne peut imaginer qu'un régime comme celui précédemment au pouvoir au Koweït aurait pu s'embarquer dans un complot de cette envergure contre un pays aussi grand et aussi puissant que l'Irak sans bénéficier du soutien et de la protection d'une grande puissance. Cette puissance n'est autre que les États-Unis. »

Je faisais également dans ma lettre les remarques suivantes :

« Il est évident, à partir de mon compte rendu historique et de la description que j'ai donnée des événements, que le désaccord ne portait pas seulement sur des questions d'économie ou de frontières ordinaires. Nous avons connu nombre de différends de cette nature en vingt ans, nous efforçant sans cesse de conserver les meilleures relations possibles avec les anciens dirigeants du Koweït, malgré leur conduite méprisable et leur attitude ignoble envers l'Irak. Il s'agissait en réalité d'une conspiration orga nisée, à laquelle les anciens dirigeants du Koweït avaient pris part de propos délibéré, avec le soutien des États-Unis, afin de déstabiliser l'économie de l'Irak, de saper ses capacités de défense contre les desseins impérialistes d'Israël et les agressions du monde arabe. Pour cela, elle devait miner le système politique irakien et renforcer l'hégémonie des États-Unis sur la région, en particulier sur les ressources pétrolières. En fait, comme le président Saddam Hussein l'a déclaré au sommet de Bagdad et comme je le signalais dans ma lettre au secrétaire général de la Ligue arabe, c'était la guerre contre l'Irak! »

Ce document prouve, d'une manière claire et non équivoque, que la CIA américaine et les services de renseignement de l'ancien gouvernement du Koweït étaient de connivence pour comploter contre la sécurité nationale, l'intégrité territoriale et l'économie nationale de l'Irak.

Je vous serais reconnaissant de bien vouloir faire circuler cette lettre et son annexe comme des pièces officielles du Conseil de sécurité.

Tarek Aziz
Premier ministre-adjoint,
ministre des Affaires étrangères d'Irak
Bagdad, le 24 octobre 1990

ULTRA-SECRET ET PRIVÉ

A Son Excellence le cheikh Salem Al Sabah Al-Salem Al Sabah
Ministre de l'Intérieur

Conformément aux ordres de Votre Altesse donnés lors de notre rencontre avec vous le 22 octobre 1989, j'ai visité le siège de la Central Intelligence Agency des États-Unis, accompagné du colonel Ishaq Abd al-Hadi Shaddad, directeur des investigations pour le gouvernorat d'Ahmadi, du 12 au 18 novembre 1989. Le côté américain a insisté pour que cette visite reste ultrasecrète afin de ménager la susceptibilité de nos frères du Conseil de coopération du Golfe, l'Iran et l'Irak.

J'informe par la présente Votre Altesse des points principaux dont nous sommes convenus avec le juge William Webster, directeur de la CIA américaine, au cours de mon entretien privé avec lui le mardi 14 novembre 1989.

1. Les États-Unis vont former des individus choisis par nous pour protéger Son Altesse l'émir et son Altesse le cheikh Saad Al-Abdullah Al-Salem Al Sabah. L'instruction et l'entraînement auront lieu au siège même de la CIA et nous avons fixé leur nombre à cent vingt-trois, dont certains se verront attribuer des missions spéciales auprès de la famille royale, missions définies par Son Altesse le prince héritier.

A ce sujet, nos interlocuteurs américains nous ont fait savoir qu'ils n'avaient pas été satisfaits du comportement des forces de la garde royale à l'époque de l'attaque contre Son Altesse l'émir.

2. Nous sommes convenus avec le côté américain

que des visites interviendront à tous les niveaux entre le département de la Sûreté nationale et la CIA, et que des informations seraient échangées sur les armements ainsi que sur les structures sociales et politiques de l'Iran et de l'Irak.

3. Nous avons sollicité l'aide des experts de l'Agence pour réviser la structure du département de la Sûreté nationale qui, d'après les instructions données par Son Altesse l'émir, devait venir en priorité lors de notre entrevue avec le côté américain. Nous entendons faire appel à leur expérience pour esquisser une nouvelle stratégie en fonction des changements dans la région du Golfe et de la situation intérieure du pays, en installant un système informatique et des fonctions automatiques dans le département de la Sûreté nationale.

4. Le côté américain nous a dit être disposé à échanger, comme nous le lui demandions, des informations concernant les activités des groupes extrémistes Shiah à l'intérieur du pays et de certains États du Conseil de coopération du Golfe. M. Webster nous a félicités pour les mesures que nous avons prises pour combattre les mouvements appuyés par l'Iran et nous a affirmé que l'Agence était prête à une action conjointe pour éliminer les points de tension dans la région du Golfe.

5. Nous sommes convenus avec le côté américain qu'il était important de profiter de la détérioration de la situation économique en Irak pour amener le gouvernement de ce pays à définir notre frontière commune. La CIA nous a exposé les moyens de pression qu'elle considérait comme appropriés, en précisant qu'il faudrait instaurer une large coopération entre nous, à condition que ces activités soient coordonnées à un haut niveau.

6. Le côté américain est d'avis que nos relations avec l'Iran devraient être telles que, d'une part, nous puissions éviter tout contact avec ce pays et que, d'autre part, nous exercions à son encontre toutes les pressions économiques possibles, tout en nous efforçant de soutenir son alliance avec la Syrie. L'accord avec le côté américain prévoit que le Koweït évitera en public les déclarations négatives concernant l'Iran et limitera ses efforts aux réunions arabes.

7. Nous sommes convenus avec le côté américain qu'il était important de combattre la drogue dans le pays, après que les experts du bureau des stupéfiants de la CIA nous eurent informés qu'une bonne partie du capital koweïtien sert à promouvoir le trafic de la drogue au Pakistan et en Iran, et que le développement

de ce trafic aura des effets néfastes sur l'avenir du Koweït.

8. Le côté américain a mis à notre disposition un téléphone spatial pour encourager un échange rapide d'idées et d'informations ne demandant pas de communication écrite. Le numéro de téléphone, qui est celui de la ligne privée de M. Webster, est le (202) 659-5241.

J'attends les instructions de Votre Altesse et vous adresse mes meilleures salutations.

Brigadier Fahd Ahmad Al Fahd
Directeur général
du département de la Sûreté nationale

Les fournisseurs étrangers de Saddam Hussein *

Sociétés fournisseurs de l'Irak en matériels militaires non conventionnels

Pays d'origine	Nombre de sociétés
Argentine	3
Autriche	17
Belgique	8
Brésil	1
Égypte	1
Espagne	4
États-Unis	18
France	16
Grèce	1
Inde	1
Irak	2
Italie	12
Japon	1
Jersey	1
Monaco	2
Pays-Bas	2
Pologne	1
République fédérale d'Allemagne	86
Royaume-Uni	18
Suède	1
Suisse	11
Total :	207

Le registre des sociétés, mis au point à partir des dossiers du Middle East Data Project, regroupe des informations sur plus de deux cents sociétés impliquées dans la livraison à l'Irak de missiles chimiques et balistiques ou de technologie militaire avancée.

Ces informations ne tiennent pas compte des exportations d'armes conventionnelles. Le Middle East Data Project a recensé plus de mille sociétés impliquées dans ces exportations :

Abréviations :

AB : armes biologiques ou bactériologiques.
AC : armes chimiques, technologie et/ou produits de préparation.
M : conception des missiles et/ou matériel de fabrication.
N : armes nucléaires et enrichissement de l'uranium, technologie, équipement et matériel.
CA : conception d'armes et/ou matériel de fabrication. Cette catégorie concerne avant tout l'affaire du « canon géant »

* Cette étude a été réalisée par MEDNEWS dont le directeur à Paris est Kenneth Timmerman

SOCIÉTÉS FOURNISSEURS DE L'IRAK EN ARMES NON CONVENTIONNELLES

Société	Pays	Type	Nature de la livraison
Aerotech (Buenos Aires)	Argentine	M	Groupe Consen, conception de missiles
Conseltech SA	Argentine	M	Groupe Consen, conception de missiles
Intesa SA (Cordoba)	Argentine	M	Groupe Consen, conception de missiles
AST Consult Co	Autriche	AC	Construction de laboratoire
Consultco	Autriche	AC	Construction SAAD 16
Emmerich-Assman	Autriche	AC	Propriétaire de Hutter et Schranz
Peneberg	Autriche	AC	Projets de construction
Construction métalliques et toitures Lenhardt	Autriche	AC	Constructions métalliques, usines d'armes chimiques
Neue Berger	Autriche	AC	Précurseurs chimiques
Swatek et Cerny	Autriche	AC	Matériel sanitaire
Delta Consult Studien	Autriche	AC	Électronique, projets
Delta System	Autriche	M	Conception de missiles
Banque Girozentrale	Autriche	M	Financement de laboratoires d'armement
Hütter und Shranz	Autriche	M	Construction de laboratoires d'armement
Ilbau	Autriche	M	Murs de soufflerie, usines de missiles
Denzel	Autriche	CA	Hélicoptères MBB
Hirtenberger	Autriche	CA	Amorces et machines de traction
Steyer-Daimler-Puch	Autriche	CA	Cartouches en métaux non ferreux
Voest-Alpine	Autriche	CA	Howitzers GC-45
Philips Petroleum	Belgique	AC	Vente de thiodiglycol à KBS
Sebata	Belgique	AC	Construction d'usine d'armes chimiques
Poudrières réunies de Belgique	Belgique	M	Carburants pour missiles et fusées
Amalgamated Trading Inc	Belgique	CA	Canon géant

Cockerill	Belgique	CA	Pièces détachées pour canon géant
Forges de Zeebrugge Herstal	Belgique	CA	Pièces détachées pour canon géant
Six Construct	Belgique	CA	Construction de base aérienne
Space Research Corp	Belgique	CA	Premier entrepreneur canon géant
Avibras	Brésil	M	Programme de missiles
Companies Inc	Suisse	AC	Précurseurs chimiques
IFAT Corp Ltd	Suisse	AC	Technique, SAAD 16
Condor Pojekt A.G.	Suisse	M	Groupe Consen, conception de missiles
Consen SA (Zug)	Suisse	M	Conception de missiles, a fourni 150 ingénieurs électroniciens et informaticiens
Desintec A.G. (Zug)	Suisse	M	Groupe Consen, conception de missiles
Schaeublin	Suisse	N	Outils pour installations nucléaires
Schmiedemeccanica	Suisse	N	Assemblage de centrifugeuses
Georg Fischer	Suisse	CA	Tadji, moules de fusion, machines pour fabrication de canons
Space Research Corp	Suisse	CA	Achat du canon géant
Von Roll	Suisse	CA	Tadji, pièces du canon géant
VUF AG (Verwaltung und Finanzierung)	Suisse	CA	Intermédiaire, financement
WTB International A.G.	Égypte	AC	Contrôleur SAAD 16
Carbone Lorraine	France	AC	Sous-traitant de Protec
Le Vide Industriel	France	AC	Sous-traitant de Protec
Pirep	France	AC	Sous-traitant de Protec
Prévost	France	Ac	Sous-traitant de Protec
Protect SA	France	AC	Partenaire français de Karl Kolb, achat de matériel de fabrication et de précurseurs Tabun pour l'usine de Samarra
SVCM	France	AC	Sous-traitant de Protec

Sagem	France	M	Systèmes de guidage de missiles
SEP	France	M	Moteurs de fusée, gicleurs
SNPE	France	M	Carburant pour fusées
Framatome	France	N	Conbustible nucléaire pour le réacteur Osirak
Saint-Gobain	France	N	Technologie nucléaire
Technatome	France	N	Réacteur nucléaire Osiris
Usinor-Sacilor	France	N	Aciers spéciaux pour centrifugeuses
Intespace	France	CA	Caméras infrarouge à haute résolution pour satellites d'observation. Via le Brésil?
Thomson-CSF	France	CA	Usine électronique SAAD 13
TESA	RFA	??	??
Josef Kuhn	RFA	AB	Mycotoxines, TH-2, T-2
Anton Eyerle	RFA	AC	Laboratoires mobiles de toxicologie
Aviatest (filiale de Rheinmetall)	RFA	AC	Soufflerie pour recherches aérodynamiques sur missiles. SAAD 16
BP	RFA	AC	Recherche militaire
Carl Zeiss	RFA	AC	Matériel pour laboratoire d'armes chimiques SAAD 16
Deutsch BP	RFA	AC	Recherche militaire
Heberger Bau Gmbh	RFA	AC	Construction d'usine d'armes chimiques
IBI	RFA	AC	Construction, acquisitions
Industriewerke Karlsruhe Augsburg (IWKA)	RFA	AC	Machines-outils, emballage d'armes chimiques
Infraplan	RFA	AC	Projet 9230, gaz innervant
Iveco/Magirus/Deutz	RFA	AC	Véhicule pour laboratoires mobiles
Karl Kolb	RFA	AC	SAAD 16, matériel d'expériences de laboratoire, matériel de biologie, Entrepreneur de l'usine d'armes chimiques de Samarra
MBB	RFA	AC	Matériel de laboratoire pour SAAD 16

Pilot Plant (en liquidation)	RFA	AC	Équipement pour l'usine de Samarra
Plato-Kuehn	RFA	AC	Toxines
Preussag	RFA	AC	Traitement des eaux. Travaux de construction pour Samarra
Quast	RFA	CA	Enveloppes de réacteurs pour Sarin
Rhein-Bayern Vehicle Construction	RFA	AC	Laboratoire mobile de toxicologie
Rhema-Labortechnik	RFA	AC	Système d'inhalation pour la recherche sur les produits toxiques
Sigma Chemie	RFA	AC	Précurseurs pour armes biologiques
Sigma Chemie	RFA	AC	??
Wet Engineering	RFA	CA	Précurseurs, usines de production
WTB Walter Thosti Boswau	RFA	AC	Usines de gaz innervant
AEG	RFA	M	Matériel de fabrication d'armes et de munitions
Blohm Maschinbau	RFA	M	SAAD 16. Meules dirigées par ordinateur
Brown Boveri	RFA	M	Électronique
Daimler-Benz	RFA	M	Véhicules
Degussa	RFA	M	Recherche militaire pour SAAD 16; matériel non spécifié pour usine d'armes chimiques
Fritz Werner Industrie Ausrustungen	RFA	M	Machines-outils
Gildemeister Projecta	RFA	M	Entrepreneur général pour le programme SAAD 16, logiciels, a fourni des machines et du matériel d'essais
GPA Integral/Sauer	RFA	M	Groupe Consen
Informatic/ICE	RFA	M	SAAD 16, logiciels
Leifeld	RFA	M	Têtes de fusées, par NASR (G-B)
M.A.N.	RFA	M	Tadji, pièces pour lanceurs de missiles
Machinefrabrik Ravesnburg	RFA	M	Machines-outils
Mauser-Werke	RFA	M	SAAD 16, recherche

MBB	RFA	M	Formation, technique, électronique, essais sur le missile Condor II
Nickel Gmbh (Hambourg)	RFA	M	Climatologie, usine chimique
PSG (Freiburg)	RFA	M	Groupe Consen, conception de missiles
Promex Explorations Gmbh	RFA	M	Intermédiaire, armes chimiques, missiles
Rheinmetall	RFA	M	Tadji, propulseurs de missiles, maison mère d'Aviatest
Siemens	RFA	M	Mélangeurs électroniques de carburant pour fusées; tours de précision et matériel informatique de contrôle; matériel de programmation pour centre Tadji; salle insonorisée pour SAAD 16
International Trade Consulting SA Transtechnica	RFA	M	Principal sous-traitant pour SAAD 16, fournisseur de matériel de laboratoire pour missiles et armes chimiques
Waldrich-Siegen	RFA	M	Machines-outils pour usine de missiles
Wegmann	RFA	M	Système tracté de lance-roquettes
Weiss Technik	RFA	M	Chambres froides et chaudes
Dillinger Huette-Sarstahl	RFA	N	Aciers spéciaux pour centrifugeuses
Export-Union GmbH	RFA	N	Métal pour production de gaz centrifugés
Ferrostaal (filiale de M.A.N.)	RFA	N	Principal entrepreneur, Tadji
H-H Metalform HmbH	RFA	N	Laminoir, matériel informatique de vérification, renforcement de fûts de canon, cartouches, structures de missiles
Inwako GmbH	RFA	N	Anneaux magnétiques pour usine d'enrichissement d'uranium; développement du missile SCUD
KWU	RFA	N	Technique pour cœur de réacteur nucléaire
Leybold AG	RFA	N	Tadji, fourneau à haute température; fonderie

M.A.N. Technologies Ltd	RFA	N	Intermédiaire pour H-H Metalform
Nukem	RFA	N	Goupilles pour combustible uranium 235; bloqué
Saarstahl	RFA	N	Acier pour fabrication par centrifugeuse à Tadji
T?V	RFA	N	Essai de matériel, Tadji
ABB (Mannheim)	RFA	CA	Matériel électrique pour les fourneaux de Tadji
Buderus (filiale de Feldmuhle)	RFA	CA	Technique de fonte pour Tadji
Daimler-Benz	RFA	CA	Véhicules de surveillance
Dynamite Nobel (Troisdorf)	RFA	CA	Explosifs
Faun	RFA	CA	Moyens de transport
Hochtief (Essen)	RFA	CA	Construction Tadji
Klockner Industrie-Anlage	RFA	CA	Chaudière acier, fonderie, compresseur, pièces détachées pour Tadji
Krauss-Kopf	RFA	CA	Matériel non specifié pour usine d'armement
Lasco Umformtechnik	RFA	CA	Unités de production d'armes et de munitions
LOI Industrieofenanlagen	RFA	CA	Fourneaux spéciaux pour acier renforcé à Tadji
Ludwig Hammer	RFA	CA	Matériel non spécifié pour usines d'armement
M.A.N. Roland	RFA	CA	Matériel de transport
Mannesmann (Duisberg)	RFA	CA	Éléments du canon géant
Mannesmann Demag-Hüttentechnik	RFA	CA	Matériel de fonderie pour Tadji
Mannesmann-Rexroth	RFA	CA	Éléments du canon géant
Marposs (Krefeld)	RFA	CA	Unités de production d'armes et de munitions
Matushka	RFA	CA	Maison mère de Leico (Leifeld & Co)
MBB	RFA	CA	Licence pour explosifs « fuel-air »
Ravensburg	RFA	CA	Perforatrice pour la fabrication de canons à Tadji
Ruhrgas	RFA	CA	Tadji
Schirmer-Plate-Siempeklamp	RFA	CA	Unités de production d'armes et de munitions

Schmidt, Krantz & Co	RFA	CA	Vérification par ordinateur de matériel, renforcement de tubes d'artillerie
SMS Hasenclever	RFA	CA	Presse pour les forges de Tadji
TBT Tiefbohrtechnik	RFA	CA	Machines-outils, Tadji
Thyssen	RFA	CA	??
Zublin	RFA	CA	Aciérie de Tadji
Dango & Dienenthal	RFA	CA	Traitement des métaux en fusion, Tadji
Körber AG (maison mère de Blohm)	RFA	M	Machines-outils pour SAAD 16
Advanced Technology Institue	Grèce	AC	Études pour le canon géant
KBS	Pays-Bas	AC	Thiodiglycol
Melchemie	Pays-Bas	AC	Précurseurs chimiques
Transpek India Ltd	Inde	AC	Trionyl chloride
Teco (capitaux allemands)	Irak	AC	Tadji (intermédiaire?)
Al-Arabi Trading Company	Irak	M	Représentant de l'État propriétaire de TDG
Ausidet	Italie	AC	Précurseurs Sarin pour Montedison
Montedison	Italie	AC	Précurseurs Sarin pour Melchemie
SNIA Techint (groupe Fiat)	Italie	AC	Laboratoire armes chimiques pour SAAD 16
Technipetrole	Italie	AC	Usine de gaz innervant, Akashat
Saia Bpd	Italie	M	Carburant pour fusées
Euromac (European Manufacturer Center)	Italie	M	Détonateur Krytron
Saia Techint (groupe Fiat)	Italie	N	Cellules pour Thuwaitha
BNL (Banco Nazional del Lavoro)	Italie	CA	Financement
Danieli	Italie	CA	Laminoir
Ilva	Italie	CA	Matériel de forge
Istuto per la Ricostruzione Industriale (ILVA)	Italie	CA	Propriétaire de Fucine : pièces du canon géant
Societa delle Fucine	Italie	CA	Pièces du canon géant (ILVA)

Minolta	Japon	CA	Matériel de reproduction
Transtechno Ltd	Jersey	M	Groupe Consen, technologie pour missiles
Consen Investment S.A.M.	Monaco	M	Groupe Consen, financement
Consen S.A.M	Monaco	M	Groupe Consen, technologie pour missiles
Chemadex	Pologne	N	Travaux de réparation d'usine de traitement de l'uranium
Int'l Trade Consulting SA	Espagne	M	Inermédiaire technologie pour missiles
Casa	Espagne	CA	Hélicoptères pour MBB
Trebelan	Espagne	CA	Fourches d'acier pour le canon géant
Bofors	Suède	M	Électronique, lance-missiles
Canira Technical Corp	Royaume-Uni	M	Propriété à 50 % de TDG a tenté d'acheter Lear-fan
Matrix Churchill	Royaume-Uni	M	Machines-outils, tours de précision (capitaux irakiens)
Naar Dependance Meed Int	Royaume-Uni	M	Têtes de fusées
SRC Composites	Royaume-Uni	M	Joint venture SRC/TDG a tenté de racheter Canira/Learjet (Irlande) en 1989, a acheté Matrix-Churchill
TMG Engineering	Royaume-Uni	M	Achats de missiles et de technologie, financement d'usine de machines-outils
Transtechno UK	Royaume-Uni	M	Groupe Consen, technologie pour missiles
Consarc Engineerin	Royaume-Uni	N	Four à très haute température
Astra Holdings	Royaume-Uni	CA	Pièces du canon géant
BSA	Royaume-Uni	CA	Machines-outils pour usines d'armements
Eagle Trust	Royaume-Uni	CA	Propriétaire de Halesowen (matériel pour le canon géant)
Global Technical & Management International	Royaume-Uni	CA	Détection de mines, détonateurs acoustiques pour mines sous-marines
Halesowen	Royaume-Uni	CA	Pièces détachées pour le canon géant SRC

Int'l Highway Transports	Royaume-Uni	CA	Transport de pièces du canon géant
Meed International	Royaume Uni	CA	Machines-outils
Sheffield Forge Masters	Royaume-Uni	CA	Fûts du canon géant
Walter Somers	Royaume-Uni	CA	Équipement hydraulique, pour canon géant
Center for Disease Control	États-Unis	AB	Virus de la fièvre du Nil
Al Haddad Trading	États-Unis	AC	Précurseurs Sarin
Alcolac International	États-Unis	AC	Précurseurs chimiques
Nu Kraft Mercatile Co United Steel and Strip	États-Unis	AC	Précurseurs chimiques
Corporation	États-Unis	AC	??
Lummus Crest	États-Unis	AC	Oxyde d'ethylène
Electronics Associate Inc	États-Unis	M	Ordinateurs pour missiles R&D
Hewlett Packard	États-Unis	M	Ordinateurs pour missiles R&D
Scientific Atlanta	États-Unis	M	Ordinateurs pour missiles R&D
Wiltron Compagny	États-Unis	M	Matériel pour ordinateurs système d'analyse scalaire
XYZ Options	États-Unis	M	Éléments de machines-outils carbone
Consarc	États-Unis	N	Fours à très haute température
BNL (Banco Nazional Lavoro)	États-Unis	CA	Filiale à Atlanta de la BNL italienne, financement
Centrifugal Casting	États-Unis	CA	Machines-outils pour fûts de canon
Sitico	États-UNis	CA	Façade à financement irakien de VUG AG
Tektronic Inc	États-Unis	CA	Terminaux graphiques d'ordinateurs
Texronix	États-Unis	CA	Ordinateurs pour missiles R&D

Cet ouvrage a été imprimé
par la Société S.E.P.C. à Saint-Amand-Montrond (Cher)
pour le compte des Éditions Olivier Orban
3, rue de l'Éperon, 75006 Paris

Achevé d'imprimer en février 1991

Imprimé en France

Dépôt légal : février 1991.
N° d'édition : 677. – N° d'impression : 393.